HO$X7

ALFREDO L. BRIGOLA

PRACTICING ITALIAN

Third Edition

Exercise Manual for

BASIC ITALIAN
Fourth Edition

by Speroni and Golino

HOLT, RINEHART AND WINSTON
New York San Francisco Toronto London

Copyright © 1977, 1972, 1965 by Holt, Rinehart and Winston

All Rights Reserved

Printed in the United States of America

ISBN: 0-03-089954-0

0 1 2 140 9 8 7 6 5

PREFACE

This Third Edition of Practicing Italian, the exercise manual for Basic Italian (Fourth Edition) by Charles Speroni and Carlo L. Golino, together with the tape recordings, is designed to provide additional practice in the structure and vocabulary presented in the text.

Each of the thirty-six lessons of this exercise manual is based on the correspondingly numbered lesson in the textbook. Its purposes are:

(1) to provide additional written and visual exercises which reinforce aural-oral learning;
(2) to provide a uniform means for the instructor to check students' performance and progress;
(3) to provide the basis of the magnetic tape recordings for an integral laboratory program;
(4) to encourage students to take full advantage of the laboratory sessions whether they be required or optional.

Based on the needs and suggestions of both students and teachers, a number of revisions and changes have been made:

PART A--(Dialogue and Drills)--It contains each chapter's dialogue in order to provide a complete presentation of the lesson material. The oral and written dialogue will develop reading skills while the student listens to native pronunciation on tape. Following a dramatic reading of the lesson dialogue are ten controlled-answer questions for comprehension practice. This assignment is strictly based upon the subject matter of the dialogue.

PART B--(Transformation Drills)--In this edition Part B has been reduced to four drills. These drills emphasize the mechanics of the language presented in each chapter. Each one comprises five sentences.

PART C--(Dictation and "Fill-in" Drills)--In this edition the translation exercise has been eliminated from this section. Part C now comprises a dictation on the tape to be written in the manual and a second drill of ten sentences stressing structure and vocabulary of the chapter.

PART D--(Visual Drills)--This is an entirely new section. Using the illustrations provided in the assignment, varied drills are presented. The illustrations place emphasis on the structure and use of the vocabulary of each chapter. The students should write their responses, which are elicited by the visual images, prior to coming to the laboratory. They will hear on tape the correct answers to the visual cues. Whenever possible, the visual material accents the cultural aspects of the language.

Every drill is introduced by a written instruction together with two examples, so that the student clearly understands the exercise.

Magnetic tapes, recorded by native speakers of Italian, are available from the publisher for purchase or on loan-for-duplication, and are keyed to this manual.

The Fourth Edition of Basic Italian, this Third Edition of Practicing Italian, and the accompanying tapes make up a set of carefully coordinated materials that can be readily adapted to a wide variety of classroom and laboratory situations. Together they form an integrated course of study for the development of the basic language skills.

A word of special thanks is due Professor Charles Speroni whose views, comments and suggestions were of great help during the preparation of this revised manual; also to my son, Carlo Brigola, for assisting me in providing ideas for the varied cultural illustrations.

A. L. B.

University of Redlands
Redlands, California

CLASSE____________ DATA__________ NOME E COGNOME______________________________

PARTE A

LEZIONE 1

I. *Read and listen to the following dialogue. (Leggete e ascoltate il dialogo seguente.)*

Studenti

Bạrbara è una ragazza. Il cognome di Bạrbara è Pace. Bạrbara Pace è una studentessa. Anche Olga Martin, l'amica di Bạrbara, è una studentessa. Bạrbara e Olga sono in Itạlia per studiare l'italiano.

Mạrio e Carlo sono amici di Bạrbara e Olga. Anche loro sono studenti e sono a scuola con le studentesse. I ragazzi e le ragazze hanno la penna e la matita per le lezioni e gli esami.

Ecco la scuola! Ecco gli studenti!

SIG.NA PACE: Buọn giorno, signorina Martin, come sta?
SIG.NA MARTIN: Bene, grạzie, e Lei?
SIG.NA PACE: Molto bene, grạzie. Dov'è Luisa?
SIG.NA MARTIN: Luisa è a scuola.
SIG.NA PACE: E Carlo dov'è?
SIG.NA MARTIN: Carlo è a casa con lo zio.
SIG.NA PACE: Mạrio dov'è?
SIG.NA MARTIN: Ecco Mạrio.
SIG.NA PACE: Arrivederla, signorina.
SIG.NA MARTIN: Arrivederla.
MẠRIO: Buọn giorno, signorina Pace.
SIG.NA PACE: Buọn giorno, Mạrio.
MẠRIO: Come sta, signorina?
SIG.NA PACE: Bene, grạzie, e Lei?
MẠRIO: Molto bene, grạzie. Dov'è Carlo?
SIG.NA PACE: Carlo è a casa con lo zio.
MẠRIO: Ecco il professore, Arrivederla, signorina.
SIG.NA PACE: Buọn giorno.

II. *Answer the following questions.* *(Rispondete alle seguenti domande.)*

1. Il cognome di Barbara è Pace?
2. Barbara Pace è una studentessa?
3. Olga Martin è l'amica di Barbara?
4. Olga Martin è una studentessa?
5. Sono in Italia per studiare l'italiano?
6. Mario e Carlo sono amici di Barbara e Olga?
7. Dov'è Carlo?
8. Dov'è Mario?
9. Dov'è lo zio?
10. I ragazzi e le ragazze hanno la penna e la matita?

1. ______________________________

2. ______________________________

3. ______________________________

4. ______________________________

5. ______________________________

6. ______________________________

7. ______________________________

8. ______________________________

9. ______________________________

10. ______________________________

CLASSE__________ DATA__________ NOME E COGNOME______________________________

PARTE B

LEZIONE 1

Using the examples as a guide, answer the following questions making the changes indicated. (Usando gli esempi come guida, rispondete alle seguenti domande facendo i cambiamenti indicati.)

I. Esempi: Dov'è il ragazzo?
Il ragazzo è a scuola.
Dove sono i professori?
I professori sono a scuola.

1. Dov'è il signore?
2. Dov'è il maestro?
3. Dove sono i ragazzi?
4. Dove sono i signori?
5. Dov'è il professore?

1. ______________________________
2. ______________________________
3. ______________________________
4. ______________________________
5. ______________________________

II. Esempi: Dov'è lo zio?
Ecco lo zio.
Dove sono gli studenti?
Ecco gli studenti.

1. Dov'è lo studente?
2. Dov'è lo zucchero?
3. Dove sono gli zii?
4. Dove sono gli zaini?
5. Dov'è lo stato?

1. ______________________________
2. ______________________________
3. ______________________________
4. ______________________________
5. ______________________________

III. Esempi: Dov'è la scuola?
La scuola è in Italia.
Dove sono le case?
Le case sono in Italia.

1. Dov'è la classe?
2. Dov'è la signorina?
3. Dove sono le classi?
4. Dov'è la ragazza?
5. Dove sono le studentesse?

1. ______________________________

2. ______________________________

3. ______________________________

4. ______________________________

5. ______________________________

IV. Esempi: Il ragazzo ha l'inchiostro?
I ragazzi hanno gl'inchiostri.
Lo studente ha la penna?
Gli studenti hanno le penne.

1. La ragazza ha l'esame?
2. La signora ha l'ombrello?
3. Il professore ha l'automobile?
4. La maestra ha la matita?
5. La studentessa ha il libro?

1. ______________________________

2. ______________________________

3. ______________________________

4. ______________________________

5. ______________________________

CLASSE__________ DATA__________ NOME E COGNOME____________________

PARTE C

LEZIONE 1

I. *The reader will dictate some sentences from the dialogue. Write the sentences of the dictation. (Il lettore detterà alcune frasi del dialogo. Scrivete le frasi dettate.)*

1. ____
2. ____
3. ____
4. ____
5. ____
6. ____
7. ____
8. ____
9. ____
10. ____

II. *Write the following sentences substituting the words indicated. (Scrivete le frasi seguenti sostituendo le parole indicate.)*

Esempi: ________ casa.
Ecco la casa.
________ amico.
Ecco l'amico.

1. ______________________ matita.

2. ______________________ ragazzo.

3. ______________________ esame.

4. ______________________ erba.

5. ______________________ stato.

6. ______________________ studente.

7. ______________________ penne.

8. ______________________ automobile.

9. ______________________ zii.

10. ______________________ frasi.

CLASSE__________ DATA__________ NOME E COGNOME______________________

PARTE D

LEZIONE 1

Using the illustration as a guide, complete the following questions. (Usando le illustrazioni como guida, completate le domande seguenti.)

Esempi:

Dov'è ___il libro___?

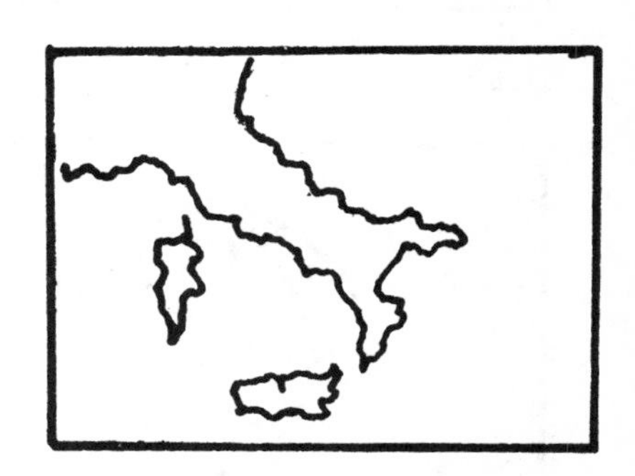

Dov'è ___l'Italia?___

1. Dov'è ______________________________?

2. Dov'è ______________________________?

3. Dov'è ______________________________?

4. Dov'è ______________________________?

5. Dov'è ______________________________?

6. Dov'è ______________________________?

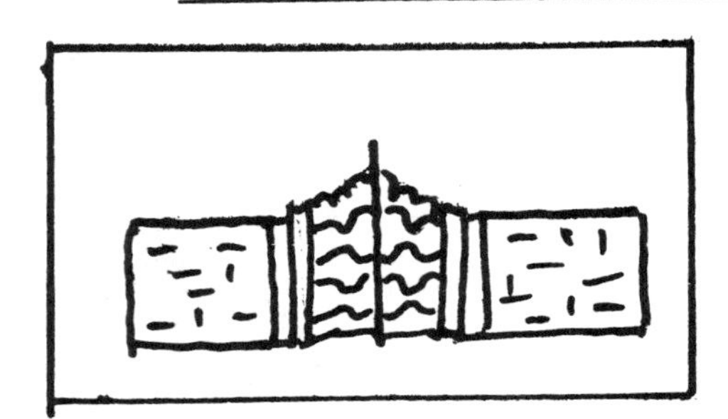

7. Dov'è ______________________________?

8. Dov'è ______________________________?

9. Dov'è ______________________________?

10. Dov'è ______________________________?

CLASSE__________ DATA__________ NOME E COGNOME__________________

PARTE A

LEZIONE 2

I. *Read and listen to the following dialogue. (Leggete e ascoltate il dialogo seguente.)*

Studiamo l'italiano

L'Università per Stranieri di Firenze. Gli studenti arrivano per la lezione di conversazione. Carlo arriva e incontra Luisa. I due studenti parlano in italiano:

CARLO: Ciao, Luisa.
LUISA: Ciao, Carlo.
CARLO: Che cosa studi a scuola?
LUISA: Studio l'italiano. Ecco il libro.
CARLO: Quando studi?
LUISA: Studio ogni giorno.
CARLO: Leggi e scrivi ogni giorno?
LUISA: Sì, leggo e scrivo ogni giorno perché desidero imparare.
CARLO: Legge ogni giorno il professore?
LUISA: Sì, legge ad alta voce. Anch'io leggo ad alta voce in classe.

Il professore arriva e la lezione d'italiano incomincia.

IL PROFESSORE: Buon giorno, signorina. Come sta Lei?
LUISA: Bene, grazie, e Lei?
IL PROFESSORE: Molto bene, grazie. — E Loro come stanno?
GLI STUDENTI: Bene, grazie.
IL PROFESSORE: Scriviamo noi ora?
GLI STUDENTI: No, ora parliamo.
IL PROFESSORE: Lei parla, Luisa?
LUISA: Sì. Io ascolto le domande e rispondo.
IL PROFESSORE: Anche Lei ascolta, Carlo?
CARLO: Sì, anch'io ascolto le domande e rispondo.
IL PROFESSORE: Ascoltano gli studenti?
CARLO: Sì, gli studenti ascoltano le domande e rispondono.
IL PROFESSORE: Perché ascoltano gli studenti?
LUISA: Perché desiderano imparare.
IL PROFESSORE: Perché ascoltano Loro?
GLI STUDENTI: Perché desideriamo imparare.

Mentre il professore parla, gli studenti ascoltano o scrivono. Poi il professore ripete le domande e gli studenti rispondono insieme.

Gli studenti studiano insieme l'italiano e parlano. Leggono ogni giorno e per imparare bene ascoltano quando il professore parla o legge.

II. *Answer the following questions.* *(Rispondete alle seguenti domande.)*

1. Dov'è l'Università per Stranieri?
2. Perché arrivano all'università gli studenti?
3. Carlo incontra Luisa?
4. I due studenti parlano in italiano?
5. Che cosa domanda Carlo?
6. Che risponde Luisa?
7. Perché legge ogni giorno Luisa?
8. Dove studia la lezione?
9. Cosa domanda il professore?
10. Che cosa risponde la signorina?

1. ______________________________

2. ______________________________

3. ______________________________

4. ______________________________

5. ______________________________

6. ______________________________

7. ______________________________

8. ______________________________

9. ______________________________

10. ______________________________

CLASSE__________ DATA__________ NOME E COGNOME______________________

LEZIONE 2

PARTE B

Using the examples as a guide, answer the following questions making the changes indicated. (Usando gli esempi come guida, rispondete alle seguenti domande facendo i cambiamenti indicati.)

I. Esempi: Parla Lei ad alta voce?
Sì, parlo ad alta voce.
Leggi tu la lezione?
Sì, leggo la lezione.

1. Ascolta Lei la lettura?
2. Anche tu scrivi la lezione?
3. Parlate ad alta voce in classe?
4. Ascoltano Loro le domande?
5. Legge e scrive Lei ogni giorno?

1. ______________________________
2. ______________________________
3. ______________________________
4. ______________________________
5. ______________________________

II. Esempi: Quando studia lui?
Lui studia ogni giorno.
Quando scrivono loro?
Loro scrivono ogni giorno.

1. Quando legge lei il libro?
2. Quando rispondono Luisa e Carlo?
3. Quando ripete lui le domande?
4. Quando studiano loro la lazione?
5. Quando scrive in classe Mario?

1. ______________________________
2. ______________________________
3. ______________________________
4. ______________________________
5. ______________________________

III. Esempi: Che cosa studi a scuola?
Studio l'italiano a scuola.
Cosa legge Lei in classe?
Leggo l'italiano in classe.

1. Che cosa scrivi a casa?
2. Cosa ripete Lei in classe?
3. Che cosa ascoltate ogni giorno?
4. Cosa imparano Loro all'università?
5. Che cosa legge Lei con lo zio a casa?

1. ____________________

2. ____________________

3. ____________________

4. ____________________

5. ____________________

IV. Esempi: Perché ascoltano gli studenti?
Gli studenti ascoltano perché desiderano imparare.
Perché ripete Lei la lezione?
Ripeto la lezione perché desidero imparare.

1. Perché risponde Luisa ad alta voce?
2. Perché leggete il libro?
3. Perché scrive lo studente?
4. Perché ascoltano Gina e Nino?
5. Perché studia la signorina?

1. ____________________

2. ____________________

3. ____________________

4. ____________________

5. ____________________

CLASSE__________ DATA__________ NOME E COGNOME______________________

PARTE C

LEZIONE 2

I. *The reader will dictate some sentences from the dialogue. Write the sentences of the dictation. (Il lettore detterà alcune frasi del dialogo. Scrivete le frasi dettate.)*

1. ______________________________

2. ______________________________

3. ______________________________

4. ______________________________

5. ______________________________

6. ______________________________

7. ______________________________

8. ______________________________

9. ______________________________

10. ______________________________

II. *Using the examples as a guide, write the correct form of the verb.*
(Usando gli esempi come guida, scrivete la forma corretta del verbo.)

Esempi: (leggere) Noi ___*leggiamo*___ la lezione insieme.

(imparare) Che cosa ___*impari*___ tu a scuola?

1. (studiare) Io ____________ con Carlo ogni giorno.

2. (leggere) Il professore ____________ ad alta voce.

3. (parlare) Perché non ____________ Lei in italiano?

4. (rispondere) Cosa ____________ noi in classe?

5. (domandare) Che cosa ____________ loro?

6. (desiderare) Anch'io ____________ ascoltare la musica.

7. (ripetere) Ragazzi, perché ____________ voi le domande?

8. (incontrare) Gina ____________ Carlo all'università.

9. (incominciare) Quando ____________ tu l'esame?

10. (ascoltare) Lui ____________ perché desidera imparare.

CLASSE__________ DATA__________ NOME E COGNOME____________________

PARTE D

LEZIONE 2

Using the illustrations and examples as a guide,
(a) choose the appropriate verb and give the correct form, and
(b) change the sentences to the interrogative form.
Usando le illustrazioni e gli esempi come guida,
(a) scegliete il verbo adatto e date la forma corretta, e
(b) cambiate le frase alla forma interrogativa.

LEGGERE - SCRIVERE - ASCOLTARE - RIPETERE - STUDIARE - DOMANDARE - RISPONDERE

Esempi:

Il ragazzo ____________________ in classe.
(a) Il ragazzo domanda in classe.
(b) Domanda in classe il ragazzo?

La ragazza ____________________ ad alta voce.
(a) La ragazza ripete ad alta voce.
(b) Ripete ad alta voce la ragazza?

1. (a) La ragazza  ______________ il libro.

   (b) ______________________________?

2. (a) Il ragazzo ______________ la musica.

   (b) ______________________________?

3. (a) Il ragazzo ______________ ora.

   (b) ______________________________?

4. (a) La ragazza ______________ la lezione.

   (b) ______________________________?

5. (a) La ragazza ______________ in italiano.

   (b) ______________________________?

CLASSE__________ DATA__________ NOME E COGNOME____________________

PARTE A

LEZIONE 3

I. *Read and listen to the following dialogue. (Leggete e ascoltate il dialogo seguente.)*

A scuola *Giorgio e Mario sono amici. Ogni giorno, Giorgio e Mario prendono il tram insieme per andare a scuola. Vanno a scuola insieme ogni giorno. Oggi arrivano a scuola presto, e aspettano il professore d'italiano.*

MARIO: Ecco il professor Bianchi.
GIORGIO: Dov'è?
MARIO: È il signore con Luisa.
GIORGIO: È vero che il professor Bianchi arriva sempre presto a scuola?
MARIO: Sì. Arriva sempre presto.
GIORGIO: Luisa dice che il professor Bianchi insegna bene. È vero?
MARIO: Sì, sì, insegna molto bene.
GIORGIO: Che cosa insegna? Non ricordo. Insegna il francese?
MARIO: No, no, insegna l'inglese.
GIORGIO: È vero che parla ad alta voce?
MARIO: Sì, parla sempre ad alta voce in classe.
GIORGIO: Perché?
MARIO: Perché quando parla ad alta voce gli studenti ascoltano.
GIORGIO: Così non dormono in classe!
MARIO: Ascoltano, non dormono e imparano perché insegna bene.
GIORGIO: È vero che il professor Bianchi parla anche francese?
MARIO: Sì. Ogni anno, quando finisce la scuola, lui parte e passa l'estate in Francia.
GIORGIO: Ma Luisa dice che il professor Bianchi preferisce parlare inglese.
MARIO: Anch'io!
GIORGIO: Io e Carlo preferiamo parlare italiano, e a casa parliamo sempre italiano.
MARIO: Capisce l'italiano Carlo?
GIORGIO: Altro che! Carlo capisce ogni cosa.
MARIO: Ecco il professore d'italiano. Buon giorno, professore.
GIORGIO: Buon giorno, professore.
PROFESSORE: Buon giorno. Voi non entrate in classe?
MARIO: Sì, sì, entriamo anche noi.

Mario apre la porta, e entrano in classe.

II. *Answer the following questions.* *(Rispondete alle seguenti domande.)*

1. Che cosa sono Giorgio e Mario?
2. Che cosa prendono Giorgio e Mario ogni giorno?
3. Dove vanno insieme?
4. Che cosa insegna il signor Bianchi?
5. Gli studenti dormono in classe?
6. Quando parte il professor Bianchi?
7. Dove passa l'estate lui?
8. Giorgio e Carlo preferiscono parlare italiano o francese?
9. Capisce ogni cosa Carlo?
10. Che cosa apre Mario al professore?

1. ______________________________

2. ______________________________

3. ______________________________

4. ______________________________

5. ______________________________

6. ______________________________

7. ______________________________

8. ______________________________

9. ______________________________

10. ______________________________

CLASSE__________ DATA_________ NOME E COGNOME________________________

PARTE B

LEZIONE 3

Using the examples as a guide, answer the following questions making the changes indicated. (Usando gli esempi come guida, rispondete alle seguenti domande facendo i cambiamenti indicati.)

I. Esempi: Dormite in classe?
No, non dormiamo in classe.
Preferisce Lei studiare a casa?
No, non preferisco studiare a casa.

1. Capisce Lei l'italiano?
2. Aprite la porta a Mario?
3. Finisci la lettura oggi?
4. Prende Lei il tram ogni giorno?
5. Aspettano Loro il dottor Rossi?

1. ______________________________
2. ______________________________
3. ______________________________
4. ______________________________
5. ______________________________

II. Esempi: Scrive Carlo?
No, Carlo non scrive, preferisce leggere.
Dormono i ragazzi?
No, i ragazzi non dormono, preferiscono leggere.

1. La signorina finisce la lezione?
2. Parla Gina in classe?
3. Aprono loro le porte agli studenti?
4. Alfredo ascolta la musica?
5. Vanno loro a casa?

1. ______________________________
2. ______________________________
3. ______________________________
4. ______________________________
5. ______________________________

III. Esempi: Perché non parlano loro italiano?
Non parlano italiano perché non capiscono.
Perché non legge lui il libro di Maria?
Non legge il libro di Maria perché non capisce.

1. Perché non finisce l'esame Luisa?
2. Perché non apre Lei la porta?
3. Perché non incominciano loro?
4. Perché non risponde Mario?
5. Perché non ascoltano gli studenti?

1. ______________________________

2. ______________________________

3. ______________________________

4. ______________________________

5. ______________________________

IV. Esempi: È vero che Lei parte sempre presto?
Sì. Parto sempre presto.
È vero che arrivate sempre presto?
Sì. Arriviamo sempre presto.

1. È vero che incominci sempre presto?
2. È vero che Lei entra in classe sempre presto?
3. È vero che Loro finiscono l'esame sempre presto?
4. È vero che Giorgio a Mario rispondono sempre presto?
5. È vero che leggete la lezione sempre presto?

1. ______________________________

2. ______________________________

3. ______________________________

4. ______________________________

5. ______________________________

CLASSE__________ DATA__________ NOME E COGNOME______________________

PARTE C

LEZIONE 3

I. *The reader will dictate some sentences from the dialogue. Write the sentences of the dictation. (Il lettore detterà alcune frasi del dialogo. Scrivete le frasi dettate.)*

1. ______________________________

2. ______________________________

3. ______________________________

4. ______________________________

5. ______________________________

6. ______________________________

7. ______________________________

8. ______________________________

9. ______________________________

10. ______________________________

II. *Using the examples as a guide, change the following sentences to the negative form and give the correct form of the verb. (Usando gli esempi come guida, cambiate le frasi seguenti alla forma negativa e date la forma corretta del verbo.)*

Esempi: (prendere) Noi *non prendiamo* il tram oggi.

(dormire) Io *non dormo* sempre bene.

1. (preferire) Lui ______________ parlare francese.
2. (finire) I ragazzi ______________ la lezione.
3. (aprire) Perché ______________ tu la porta a Maria?
4. (insegnare) Il maestro di Paolo ______________ bene.
5. (capire) Giovanni ______________ l'inglese.
6. (prendere) L'amico di Giorgio ______________ il treno.
7. (partire) Signorina, perché ______________ presto?
8. (ascoltare) Maria e Luisa ______________ le domande di Nino.
9. (aspettare) Io ______________ lo zio di Pietro.
10. (parlare) È vero che voi ______________ italiano.

CLASSE__________ DATA__________ NOME E COGNOME____________________

PARTE D

LEZIONE 3

Using the illustrations and examples as a guide,
  (a) choose the appropriate verb and give the correct form, and
  (b) change the sentences to the negative form.
Usando le illustrazioni e gli esempi come guida,
  (a) scegliete il verbo adatto e date la forma corretta, e
  (b) cambiate le frasi alla forma negativa.)

DORMIRE - APRIRE - PRENDERE - PARLARE - INSEGNARE - ASPETTARE - CAPIRE

Esempi:

Lo studente ____________________ il professor Bianchi.
(a) Lo studente aspetta il professor Bianchi.
(b) Lo studente non aspetta il professor Bianchi.

La maestra ____________________ l'italiano.
(a) La maestra insegna l'italiano.
(b) La maestra non insegna l'italiano.

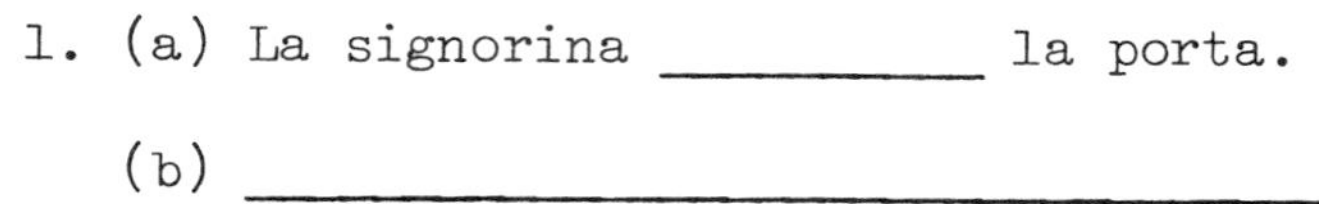

1. (a) La signorina __________ la porta.

   (b) ______________________________

2. (a) Giorgio ____________ sempre.

   (b) ______________________________

3. (a) Il signore ____________ il treno.

   (b) ______________________________

4. (a) Maria ______________________ ora.

   (b) ______________________________

5. (a) Gli studenti _______________ bene.

   (b) ______________________________

CLASSE____________ DATA__________ NOME E COGNOME____________________________

PARTE A

LEZIONE 4

I. *Read and listen to the following dialogue. (Leggete e ascoltate il dialogo seguente.)*

Una lettera *L'Università per Stranieri. Oggi tutti gli studenti sono presenti. I ragazzi sono presenti e anche le ragazze sono presenti. Quando arriva il professore vẹdono che porta un ạbito nero, una camịcia bianca e una cravatta verde.*

Luisa dice a Carlo: Il professore oggi porta un ạbito nuovo. È bello, non è vero?

CARLO: Sì, è un ạbito molto bello. È bella anche la cravatta verde.

LUISA: Tu preferisci una cravatta verde?

CARLO: No, preferisco non portare cravatta.

LUISA: Ma oggi vedo che porti una cravatta... una cravatta verde.

CARLO: È vero, ma oggi è un'eccezione.

PROFESSORE: Silẹnzio! Silẹnzio, Carlo e Luisa. Desịdero lẹggere una lunga lẹttera di una signorina di Milano.

GIOVANNI: Di una signorina di Milano, professore?

PROFESSORE: Sì, di una signorina di Milano. Perché non ascolta?

Gli studenti ascọltano e il professore incomịncia a lẹggere. Legge ad alta voce, e tutti ascọltano. Gli studenti capịscono perché molte parole sono fạcili e perché il professore spiega le parole nuove e diffịcili. È la lẹttera di una giọvane ragazza, Gina Redenti. Il padre di Gina è professore e insegna l'inglese a Milano. È un bravo professore, dice Gina. La lẹttera di Gina dice che lei stụdia l'inglese e che desịdera corrispọndere con uno studente americano o inglese.

Quando il professore legge il nome di Gina, Giọrgio non capisce bene e il professore ripete: «Gi-na Re-den-ti.» Il professore capisce che Giọrgio desịdera corrispọndere in italiano con Gina e legge anche l'indirizzo. Poi dice: «Giọrgio, Lei desịdera corrispọndere con Gina?»

GIỌRGIO: Sì professore.

PROFESSORE: Desịdera corrispọndere in italiano o in inglese?

GIỌRGIO: Desịdero corrispọndere in italiano.

Il professore finisce la lẹttera di Gina, e la lezione finisce.

II. *Answer the following questions. (Rispondete alle seguenti domande.)*

1. Sono presenti gli studenti oggi?
2. Che cosa vedono gli studenti?
3. È vecchio l'abito nero?
4. Anche la cravatta è nera?
5. Che cosa dice il professore a Carlo e Luisa?
6. Che cosa legge il professore?
7. Di dov'è la signorina?
8. Perché gli studenti capiscono?
9. Che cosa insegna il padre di Gina?
10. Perché il professore ripete il nome di Gina?

1. ______________________________

2. ______________________________

3. ______________________________

4. ______________________________

5. ______________________________

6. ______________________________

7. ______________________________

8. ______________________________

9. ______________________________

10. ______________________________

CLASSE____________ DATA__________ NOME E COGNOME____________________________

PARTE B

LEZIONE 4

Using the examples as a guide, answer the following questions making the changes indicated. (Usando gli esempi come guida, rispondete alle seguenti domande facendo i cambiamenti indicati.)

I. Esempi: Compra tutte le cravatte rosse Mario?
No, Mario compra una cravatta rossa.
Vede il professore gli studenti americani?
No, il professore vede uno studente americano.

1. Spiega Giovanni gli esami difficili?
2. Vedono Loro le parole inglesi?
3. Comprano gli studenti i quaderni neri?
4. Preferisce Lei i nomi francesi?
5. Compra i dizionari italiani lo zio?

1. ______________________________
2. ______________________________
3. ______________________________
4. ______________________________
5. ______________________________

II. Esempi: È dottore lo zio?
Sì, è anche un bravo dottore.
Giovanni è meccanico, non è vero?
Sì, è anche un bravo meccanico.

1. È italiana Maria?
2. È studente lui?
3. È maestra la signorina Renoir?
4. Giorgio è americano, non è vero?
5. Carlo è avvocato, non è vero?

1. ______________________________
2. ______________________________
3. ______________________________
4. ______________________________
5. ______________________________

III. Esempi: Capisce Lei la parola difficile?
Capisco tutte le parole difficili.
Desidera Mario il libro italiano?
Mario desidera tutti i libri italiani.

1. Vede lo zio il quaderno americano?
2. Spiegano Loro il libro inglese?
3. Comprate la cravatta gialla?
4. Porta Mario la camicia rossa?
5. Preferiscono Loro l'opera italiana?

1. ______________________________

2. ______________________________

3. ______________________________

4. ______________________________

5. ______________________________

IV. Esempi: È presente il nuovo studente?
Tutti i nuovi studenti sono presenti.
È presente la cattiva ragazza?
Tutte le cattive ragazze sono presenti.

1. È presente la piccola studentessa?
2. È presente il giovane zio?
3. È presente la bella signorina?
4. È presente il bravo dottore?
5. È presente la vecchia zia?

1. ______________________________

2. ______________________________

3. ______________________________

4. ______________________________

5. ______________________________

CLASSE___________ DATA__________ NOME E COGNOME__________________________

PARTE C

LEZIONE 4

I. *The reader will dictate some sentences from the dialogue. Write the sentences of the dictation. (Il lettore detterà alcune frasi del dialogo. Scrivete le frasi dettate.)*

1. ______________________________

2. ______________________________

3. ______________________________

4. ______________________________

5. ______________________________

6. ______________________________

7. ______________________________

8. ______________________________

9. ______________________________

10. ______________________________

II. *Using the examples as a guide, give the correct forms of the adjective and the definite article. (Usando gli esempi come guida, date la forma corretta dell'aggettivo e dell'articolo determinativo.)*

Esempi: (parole/ITALIANO) Giovanni scrive *le parole italiane.*

(automobili/NUOVO) Preferisco *le nuove automobili.*

1. (indirizzi/STESSO) Mario ha ______
2. (ragazze/AMERICANO) Non vedo ______
3. (abiti/VERDE) Ecco, signorina, ______
4. (signori/GIOVANE) Dove sono ______ ?
5. (lingue/DIFFICILE) Lui studia tutte ______
6. (studenti/INGLESE) Maria corrisponde con ______
7. (zingari/BRAVO) Ora vediamo ______
8. (quaderni/PICCOLO) Non desidero ______
9. (ragazzi/INTELLIGENTE) ______ capiscono tutto.
10. (lettere/ITALIANO) Leggiamo ______ di Luisa.

CLASSE__________ DATA__________ NOME E COGNOME____________________

PARTE D

LEZIONE 4

Using the illustrations and examples as a guide,
(a) write the sentence with the correct form of the adjective, and
(b) repeat the sentence in the plural.
Usando le illustrazioni e gli esempi come guida,
(a) scrivete la frase con la forma dell'aggettivo corretto, e
(b) ripetete la frase al plurale.)

Esempi:

BELLO - (a) È una bella casa.
Sono belle case.

ITALIANO - (a) È un'automobile italiana.
(b) Sono automobili italiane.

1. VERDE
(a) __________
(b) __________

2. INTERESSANTE
(a) __________
(b) __________

3. PICCOLO (a) __________
(b) 

4. GIALLO (a) __________
(b) __________

5. AMERICANO (a) ______________

(b) ______________

6. INGLESE (a) ______________

(b) ______________

7. GRANDE (a) ______________

(b) ______________

8. ECCELLENTE (a) ______________

(b) ______________

9. NUOVO (a) ______________

(b) ______________

10. ROSSO (a) ______________

(b) ______________

CLASSE__________ DATA__________ NOME E COGNOME____________________

PARTE A

LEZIONE 5

I. *Leggete e ascoltate il dialogo seguente.*

Un'idea eccellente *Mario e Giorgio sono davanti alla biblioteca dell'università e aspettano dei compagni di scuola. Oggi non hanno lezione. Mentre aspettano parlano del più e del meno.*

MARIO: Tu, Giorgio, resti molto tempo in biblioteca oggi?

GIORGIO: No, prendo un libro, e poi torno[1] a casa. Preferisco studiare a casa. E tu?

MARIO: Io aspetto Luisa e Carlo. Oggi studiamo insieme. Nel pomeriggio, se il tempo è bello, andiamo a nuotare in una piscina alle Cascine.

GIORGIO: Io nel pomeriggio, quando il tempo è bello, leggo un libro in giardino. Non abito molto vicino alle Cascine, ma dalla finestra dello studio vedo la piscina.

MARIO: Ecco Luisa e Carlo! Perché siete in ritardo?

CARLO: Mah! Perché... Luisa è sempre in ritardo.

GIORGIO: Bugiardo! Non è vero! Sei tu che arrivi sempre in ritardo...

LUISA: Basta, basta, ragazzi! Perché non andiamo tutti a prendere un caffè?

GIORGIO: È un'idea eccellente, ma io non ho soldi.

MARIO: Neanche io!

CARLO: Paga Luisa!

LUISA: Perché io?

CARLO: Perché solamente tu hai soldi.

LUISA: Benissimo, pago per tutti, ma... solamente un caffè.

GIORGIO: E poi, tutti in piscina. Va bene?

MARIO: Un momento, prima andiamo in biblioteca a studiare e poi andiamo in piscina.

GIORGIO: È vero — prima il dovere e poi il piacere.

TUTTI: Bravo! Evviva!

II. *Rispondete alle seguenti domande.*

1. Dove aspettano i compagni di scuola Mario e Giorgio?
2. Perché non sono a scuola?
3. Hanno loro lezione oggi?
4. Parlano mentre aspettano Mario e Giorgio?
5. Di che cosa parlano loro?
6. Resta molto tempo in biblioteca Giorgio?
7. Dove legge Giorgio quando il tempo è bello?
8. Che cosa vede Giorgio dalla finestra dello studio?
9. Perché paga Luisa?
10. Perché non pagano i compagni?

1. ____________________

2. ____________________

3. ____________________

4. ____________________

5. ____________________

6. ____________________

7. ____________________

8. ____________________

9. ____________________

10. ____________________

CLASSE__________ DATA__________ NOME E COGNOME______________________

PARTE B

LEZIONE 5

Usando gli esempi come guida, rispondete alle seguenti domande facendo i cambiamenti indicati.

I. Esempi: Desidera vino Lei?
Sì, desidero del vino.
I signori prendono birra?
Sì, i signori prendono della birra.

1. Prendete limonata voi?
2. Tutti desiderano marmellata?
3. Desidera sale Lei?
4. Ordini frutta tu?
5. Prende formaggio la signora?

1. ______________________________
2. ______________________________
3. ______________________________
4. ______________________________
5. ______________________________

II. Esempi: Ecco lo studio; dov'è il professore?
Il professore è nello studio.
Ecco il giardino; dove sono le signorine?
Le signorine sono in giardino.

1. Ecco la biblioteca; dove sono i libri?
2. Ecco l'inchiostro; dov'è la penna?
3. Ecco le piscine; dove sono i ragazzi?
4. Ecco lo zaino; dov'è il nuovo abito?
5. Ecco la stanza di Gina; dove sono i soldi?

1. ______________________________
2. ______________________________
3. ______________________________
4. ______________________________
5. ______________________________

III. Esempi: Dove sono l'abito e la cravatta?
La cravatta è sull'abito.
Dove sono il tavolo e i soldi?
I soldi sono sul tavolo.

1. Dove sono il quaderno e la matita?
2. Dove sono i libri e le penne?
3. Dove sono la porta e il nome?
4. Dove sono il pane e il burro?
5. Dove sono lo zaino e la camicia?

1. ______________________________

2. ______________________________

3. ______________________________

4. ______________________________

5. ______________________________

IV. Esempi: Ha Lei fratelli e sorelle in Italia?
Non ho fratelli ma ho delle sorelle in Italia.
Hanno Loro zie e zii in America?
Non abbiamo zie ma abbiamo degli zii in America.

1. Avete caffè e latte a casa?
2. Giorgio ha frutta e formaggio?
3. Ha Lei burro e pane pei ragazzi?
4. Hanno Loro compagni di scuola e amici?
5. Ha la maestra ragazzi e ragazze in classe?

1. ______________________________

2. ______________________________

3. ______________________________

4. ______________________________

5. ______________________________

CLASSE__________ DATA__________ NOME E COGNOME______________________

PARTE C

LEZIONE 5

I. *Il lettore detterà alcune frasi del dialogo. Scrivete le frasi dettate.*

1. ______________________________

2. ______________________________

3. ______________________________

4. ______________________________

5. ______________________________

6. ______________________________

7. ______________________________

8. ______________________________

9. ______________________________

10. ______________________________

II. *Usando gli esempi come guida, date la forma corretta delle preposizioni articolate.*

Esempi: (in/lo) Vedo che voi siete ___*nello*___ studio.

(per/i) Ecco la frutta ___*pei*___ signori.

1. (di/il) La signorina desidera __________ caffè.

2. (a/la) I compagni di Giorgio sono __________ finestra.

3. (in/il) Oggi __________ pomeriggio andiamo a casa.

4. (da/la) __________ finestra vediamo la Fontana di Trevi.

5. (con/i) Giorgio paga per tutti __________ soldi di Luisa.

6. (di/la) I ragazzi prendono __________ cioccolata.

7. (in/la) I maccheroni sono __________ minestra.

8. (su/il) La limonata e l'aranciata sono __________ tavolo.

9. (in/la) Mario non nuota __________ piscina di Pietro.

10. (a/le) Ma perché non andiamo __________ Cascine?

CLASSE____________ DATA__________ NOME E COGNOME______________________________

PARTE D

LEZIONE 5

Usando le illustrazioni e gli esempi come guida, rispondete alle seguenti domande con la forma corretta dell'aggettivo BELLO.

Esempi:

Che cosa vede?
Vedo il bel fiore

Che cosa vede?
Vedo i bei soldi.

1. Che cosa vede?

____

2. Che cosa vede?

____

3. Che cosa vede?

____

4. Che cosa vede?

____

5. Che cosa vede?

____

6. Che cosa vede?

____

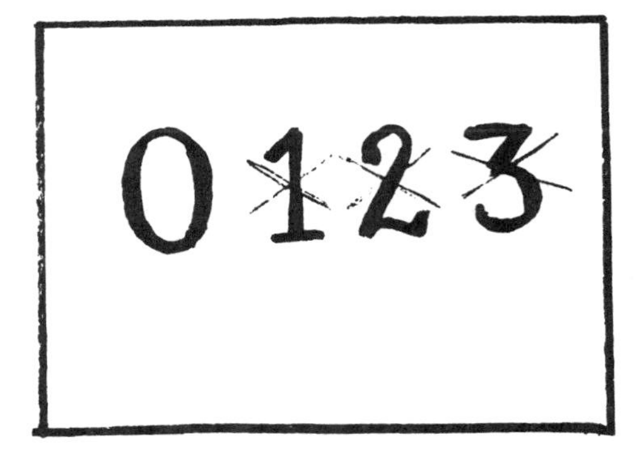

7. Che cosa vede?

____

8. Che cosa vede?

____

9. Che cosa vede?

____

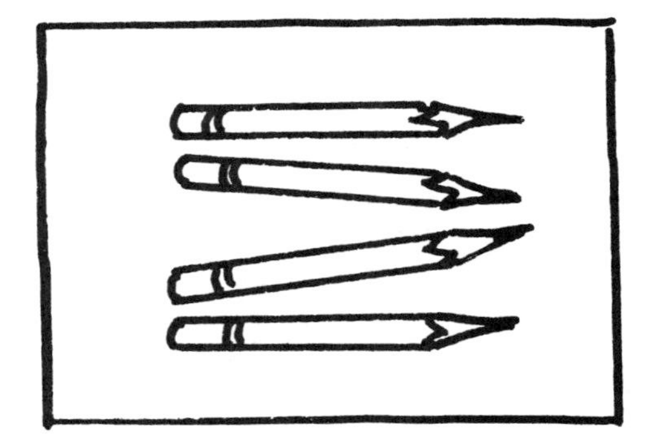

10. Che cosa vede?

____

CLASSE__________ DATA__________ NOME E COGNOME______________________

PARTE A

LEZIONE 6

I. *Leggete e ascoltate il dialogo seguente.*

A Firenze *Due signorine, la signorina Bạrbara Pace e la signorina Anna Manịn, sono davanti all'Università per Stranieri a* (in) *Firenze, e aspẹttano il professore d'arte. La signorina Pace è americana, e la signorina Manịn è francese.*

SIG.NA MANỊN: Buọn giorno, signorina; anche Lei sẹgue il corso del signọr Toschi, non è vero?

SIG.NA PACE: Sì. Oggi, però, sarò anche alla lezione del professọr. Ghiselli. Lo conosce? È il professore di mụsica.

SIG.NA MANỊN: No, non lo conosco.

SIG.NA PACE: Scusi, signorina, ma Lei è francese?

SIG.NA MANỊN: Sì, ma mio (*my*) padre è veneziano. E Lei è americana, non è vero?

SIG.NA PACE: Sì, ma mio (*my*) nonno è romano. Quanto tempo resterà a Firenze?

SIG.NA MANỊN: Tutta l'estate e forse tutto l'anno. Poi ritornerò a casa. E Lei?

SIG.NA PACE: Io resterò in Itạlia un anno.

SIG.NA MANỊN: Dove ạbita? In una pensione?

SIG.NA PACE: Sì. In una pensione in Piazza Indipendenza. Ci sono molte pensioni vicino all'Università. E Lei dove ạbita?

SIG.NA MANỊN: Ạbito in Via Panzani in casa di una famịglia fiorentina. C'è un'altra ragazza francese, ma non la vedo spesso. Preferisco parlare italiano.

SIG.NA PACE: Anch'io conosco molte ragazze americane a Firenze, ma non le vedo spesso.

SIG.NA MANỊN: È vero che oggi il professore parlerà di Fiẹsole?

SIG.NA PACE: Sì, e poi domani ci porterà a vedere Fiẹsole, che è molto vicino a Firenze. Fiẹsole è una pịccola città di origine etrusca famosa per la bellezza del paesạggio.

SIG.NA MANỊN: Bene. Visiteremo il pịccolo museo e il teatro romano, non è vero?

SIG.NA PACE: Sì. Partiremo tutti insieme nel pomerịggio da Piazza San Marco.

SIG.NA MANỊN: Come andiamo, in automọbile?

SIG.NA PACE:	No, prenderemo il filobus in Piazza San Marco.
SIG.NA MANIN:	Grazie, signorina Pace. Lei è molto bene informata e molto gentile.
SIG.NA PACE:	Ah! Ecco il professor Toschi.

II. *Rispondete alle seguenti domande.*

1. Dove sono le due signorine?
2. Aspettano il filobus?
3. È americana la signorina Manin?
4. È francese la signorina Pace?
5. Conosce il professor Ghiselli, la signorina Manin?
6. Insegnano musica all'Università per stranieri a Firenze?
7. Quanto tempo resterà a Firenze una delle due ragazze?
8. Abitano in una pensione?
9. Dove le porterà il professore d'arte?
10. Visiteranno il piccolo museo?

1. ______________________________

2. ______________________________

3. ______________________________

4. ______________________________

5. ______________________________

6. ______________________________

7. ______________________________

8. ______________________________

9. ______________________________

10. ______________________________

CLASSE__________ DATA__________ NOME E COGNOME______________________________

PARTE B

LEZIONE 6

Usando gli esempi come guida, rispondete alle seguenti domande facendo i cambiamenti indicati.

I. Esempi: Vedete voi lo zio?
Sì, lo vediamo.
La famiglia ascolta la musica?
Sì, la famiglia l'ascolta.

1. Pagano Loro la frutta?
2. Il padre segue Mario a Firenze?
3. Le signorine ascoltano i maestri?
4. L'automobile porta i dottori a Roma?
5. Il professore spiega le lezioni?

1. ______________________________
2. ______________________________
3. ______________________________
4. ______________________________
5. ______________________________

II. Esempi: Giovanni porta il libro a scuola?
No, Giovanni non lo porta a scuola.
Aspetta Lei la signorina Bianchi e il signor Andrei?
No, non li aspetto.

1. La famiglia visita il museo?
2. Spiega Lei le letture in classe?
3. Il filobus porta gli studenti a scuola?
4. Seguono Loro l'automobile di Carlo?
5. Giorgio capisce la lezione?

1. ______________________________
2. ______________________________
3. ______________________________
4. ______________________________
5. ______________________________

III. Esempi: Visita Lei il piccolo museo?
Lo visiterò domani.
Leggono Loro tutto il libro di musica?
Lo leggeremo tutto domani.

1. Ascoltano Loro la musica italiana?
2. I ragazzi studiano l'arte medioevale?
3. Luisa capisce bene l'italiano?
4. Compra Lei l'automobile francese?
5. Aspettano Loro Maria e Piera?

1. ______________________________

2. ______________________________

3. ______________________________

4. ______________________________

5. ______________________________

IV. Esempi: Io sarò in Piazza San Marco.
Noi saremo in Piazza San Marco.
Lei avrà tutti i soldi.
Loro avranno tutti i soldi.

1. Tu sarai alla pensione domani.
2. Lui sarà insieme con Claudio.
3. Lei sarà a Firenze nel pomeriggio.
4. Io avrò del pane a casa.
5. Tu avrai tutto il vino rosso.

1. ______________________________

2. ______________________________

3. ______________________________

4. ______________________________

5. ______________________________

CLASSE___________ DATA_________ NOME E COGNOME_________________________

PARTE C

LEZIONE 6

I. *Il lettore detterà alcune frasi del dialogo. Scrivete le frasi dettate.*

1. ______________________________

2. ______________________________

3. ______________________________

4. ______________________________

5. ______________________________

6. ______________________________

7. ______________________________

8. ______________________________

9. ______________________________

10. ______________________________

II. *Usando gli esempi come guida, date la forma corretta del complemento oggetto.*

Esempi: (noi) Tutti ___*ci*___ ascolteranno al museo.

(il filobus) Forse ___*lo*___ prenderemo.

1. (io) Lui __________ capirà molto bene.
2. (noi) __________ incontreranno davanti all'entrata.
3. (Rita) __________ conoscerai perché parlerà italiano.
4. (Lei) Scusi, però io non __________ aspetterò.
5. (Il corso) __________ seguiremo insieme con tutti.
6. (l'università) Le due signorine __________ visiteranno.
7. (tu) Dove sei? Non __________ vedo.
8. (loro/masc.) Anch'io __________ conosco, però non molto bene.
9. (voi) C'è una signorina fiorentina che __________ aspetta.
10. (gl'indirizzi) Domani Enrico __________ scriverà tutti.

CLASSE__________ DATA__________ NOME E COGNOME____________________

PARTE D

PAROLE INCROCIATE - Sciogliete il seguente enigma (CROSSWORDS - work the following puzzle):

Orizzontali: 1. Il futuro di "conosci".

5. Il presente indicativo di "seguirete".

6. Il pronome personale (singolare).

8. Il futuro di "abiti".

(Orizzontali): 9. La negazione.

10. Il futuro di "avete".

11. La risposta affermativa.

12. L'infinitivo del verbo "hanno".

13. Il futuro di "impariamo".

Verticali: 1. Il futuro di "capiscono".

2. Il futuro di "segui".

3. Il plurale di "ritornerai".

4. L'articolo determinativo (maschile).

7. Il futuro di "ripeto".

11. Il singolare di "saranno".

CLASSE______________ DATA____________ NOME E COGNOME______________________________

PARTE A

LEZIONE 7

I. *Leggete e ascoltate il dialogo seguente.*

Un ricevimento

Oggi ci sarà un ricevimento per tutti gli studenti iscritti all'Università. Il Rettore e tutti i professori saranno presenti. Il ricevimento avrà luogo nel salone di un grande albergo. Il Rettore darà il benvenuto agl'invitati, poi il signọr Marini, professore di stọria medioevale, farà una breve conferenza sulla stọria di Firenze. Dopo la conferenza uno dei professori darà delle informazioni d'interesse generale, e poi ci sarà un rinfresco.

La signorina Pace e la signorina Manịn arrịvano all'albergo insieme ed ẹntrano. Nel salone ci sono già molte persone.

SIG.NA PACE: Quanti invitati!
SIG.NA MANỊN: Ci saranno cento persone, non crede?
SIG.NA PACE: Eh, sì! Lei conosce il Rettore?
SIG.NA MANỊN: Lo conosco, ma non lo vedo. E il professọr Toschi, dove sarà?
SIG.NA PACE: È là vicino al pianoforte con una studentessa.
MẠRIO: Buọn giorno, signorine. Quante persone, non è vero?
SIG.NA PACE: Eh, sì!
MẠRIO: Ma non vedo Olga; dove sarà?
SIG.NA PACE: Sarà con Luisa; sono sempre insieme.
MẠRIO: Quando serviranno i rinfreschi? Ho fame!
SIG.NA MANỊN: Ed io ho sete!
SIG.NA PACE: Dopo la conferenza, non credete?
MẠRIO: E la conferenza quando incomincerà?
SIG.NA MANỊN: Quando arriverà il Rettore.
MẠRIO: Perché? La conferenza la farà lui?
SIG.NA PACE: Sciocco! No, ma lui darà il benvenuto agl'invitati.
SIG.NA MANỊN: Poi il professọr Marini farà la conferenza... e poi ci sarà il rinfresco.
MẠRIO: Ma io ho fame!
SIG.NA MANỊN: Ed io ho sete!

Le due signorine fanno un giro per il salone e pạrlano con altri studenti. Finalmente arriva il Rettore. Dà il benvenuto, e poi presenta il professọr Marini. La conferenza è breve ma interessante.

II. *Rispondete alle seguenti domande.*

1. Che cosa ci sarà oggi?
2. Dove avrà luogo il ricevimento?
3. Ci saranno solamente gli studenti?
4. Che cosa farà il Rettore?
5. Di che cosa parlerà il professore di storia medioevale?
6. Quante persone ci saranno al ricevimento?
7. Dov'è il signor Toschi?
8. Che cosa ha Mario?
9. E la signorina Manin che cosa ha?
10. È vero che la conferenza del professore di storia sarà lunga?

1. ____________________

2. ____________________

3. ____________________

4. ____________________

5. ____________________

6. ____________________

7. ____________________

8. ____________________

9. ____________________

10. ____________________

CLASSE__________ DATA__________ NOME E COGNOME______________________________

PARTE B

LEZIONE 7

Rispondete alle seguenti domande, usando gli esempi come guida.

I. Esempi: Da Lei la frutta a Giorgio?
Sì, la do a Giorgio.
Fanno Loro un giro per la piazza?
Sì, lo facciamo.

1. Date le lezioni agli studenti?
2. Danno Loro l'automobile allo zio?
3. La signorina fa il tè?
4. Fai la conferenza in italiano?
5. Fanno Loro il caffè a casa?

1. ______________________________
2. ______________________________
3. ______________________________
4. ______________________________
5. ______________________________

II. Esempi: Darà Lei il benvenuto?
Sì, darò il benvenuto, e poi farò una conferenza.
Starete all'albergo?
Sì, staremo all'albergo, e poi faremo una conferenza.

1. Darete il benvenuto?
2. Daranno Loro il benvenuto?
3. Starai all'albergo?
4. Starà lui all'albergo?
5. Daranno Luisa e Maria il benvenuto?

1. ______________________________
2. ______________________________
3. ______________________________
4. ______________________________
5. ______________________________

III. Esempi: Legge Lei l'italiano, e capisce tutto?
Se leggerò l'italiano, capirò tutto.
Studiate le lezioni, e imparate molto?
Se studieremo le lezioni, impareremo molto.

1. Restano Loro a casa, e danno il benvenuto?
2. È brava Luisa, ed è a scuola?
3. Impara molto Lei, e capisce tutto?
4. Arriva Maria a casa presto, e fa le lezioni?
5. Ascolti tu il professore, e rispondi bene?

1. ______________________________

2. ______________________________

3. ______________________________

4. ______________________________

5. ______________________________

IV. Esempi: Lo comprerà Lei o Maria?
Lo compro io, se non lo compra Maria.
La leggerete voi o il maestro?
La leggiamo noi, se non la legge il maestro.

1. Li studieranno Loro o le studentesse americane?
2. La imparerai tu o lo studente straniero?
3. Le ascolterà Lei o tutta la famiglia?
4. Lo avrà lui o noi?
5. La visiteranno Loro o gli amici di Cesare?

1. ______________________________

2. ______________________________

3. ______________________________

4. ______________________________

5. ______________________________

CLASSE__________ DATA__________ NOME E COGNOME______________________

PARTE C

LEZIONE 7

I. *Il lettore detterà alcune frasi del dialogo. Scrivete le frasi dettate.*

1. ______________________________

2. ______________________________

3. ______________________________

4. ______________________________

5. ______________________________

6. ______________________________

7. ______________________________

8. ______________________________

9. ______________________________

10. ______________________________

II. *Usando gli esempi come guida, date la forma corretta del futuro.*

Esempi: (dare) Il Rettore ___*darà*___ il benvenuto.

(fare) Che cosa ___*farai*___ tu dopo il ricevimento?

1. (stare) Quando arriveranno a Pisa, dove ______________?

2. (dare) Mario ______________ il nuovo indirizzo a Luisa.

3. (fare) Il signor Marini ______________ una breve conferenza.

4. (essere) Non li conosciamo, ma ______________ italiani.

5. (dare) Noi ______________ un ricevimento per gli studenti.

6. (essere) Dopo la conferenza ci ______________ dei rinfreschi.

7. (avere) Dove ______________ luogo il ricevimento?

8. (servire) Che cosa ______________ loro?

9. (avere) Voi ______________ fame dopo la lezione d'inglese.

10. (incominciare) E la musica quando ______________?

CLASSE____________ DATA__________ NOME E COGNOME______________________________

PARTE D

LEZIONE 7

Usando le illustrazioni e gli esempi come guida, leggete le seguenti frasi e poi scrivete la frase adatta sotto ogni illustrazione.

(a) Il professore farà una breve conferenza.
(b) La ragazza darà il libro a Mario.
(c) Non staranno a casa.
(d) Giorgio ha fame quando arriva a casa.
(e) Le due signorine avranno sete.
(f) Il ricevimento ha luogo all'università.
(g) Nel salone ci sono già molte persone.
(h) E poi serviranno il rinfresco.
(i) La studentessa è vicino al pianoforte.
(j) Lui ha fame e lei ha sete.
(k) I due ragazzi arrivano all'albergo insieme.
(l) Ora fa la lezione.

Esempi:

(e) Le due signorine avranno sete.

(h) E poi serviranno il rinfresco.

1. ______________________________

____

2. ______________________________

____

3. ______________________________

____

4. ______________________________

____

5. ______________________________

____

6. ______________________________

____

7. ______________________________

____

8. ______________________________

____

9. ______________________________

____

10. ______________________________

____

CLASSE________ DATA________ NOME E COGNOME________________

PARTE A

LEZIONE 8

I. *Leggete e ascoltate il dialogo seguente.*

Una telefonata *La signorina Pace incontra Giovanni Andrei, uno studente dell'Università di Firenze.*

SIG.NA PACE: Buọn giorno, signọr Andrei.

SIG. ANDREI: Buọn giorno, signorina. Dove va? Ritorna alla Sua pensione?

SIG.NA PACE: No, vado alla banca, ma prima devo fare una telefonata.

SIG. ANDREI: C'è un telẹfono quị al caffè.

SIG.NA PACE: Ah bene!

SIG. ANDREI: Telefona a qualcuno quị in città?

SIG.NA PACE: Sì! Ma devo fare anche una telefonata interurbana. Devo telefonare a mia zia a Roma.

SIG. ANDREI: Allora sarà mẹglio andare all'uffịcio telefọnico.

All'uffịcio telefọnico molte persone aspẹttano il loro turno.

SIG.NA PACE: Mentre aspetto il mio turno, telefonerò a mia cugina. È quị a Firenze. Quanto costa una telefonata in città?

SIG. ANDREI: Cinquanta lire. Ha un gettone?

SIG.NA PACE: Un gettone? Non capisco. Che cosa sono i gettoni?

SIG. ANDREI: Il prezzo delle telefonate cạmbia ogni tanto in Itạlia e allora invece delle monete usiamo i gettoni. È molto sẹmplice. Lei compra un gettone dall'impiegato e lo mette nell'apparẹcchio. Un momento, lo compro io.

Giovanni ritorna, dà il gettone alla sua compagna e spiega: «Lei mette il gettone nell'apparẹcchio e forma il nụmero.» La signorina Pace forma il nụmero, ma nessuno risponde.

SIG.NA PACE: Mia cugina non risponde. Sarà fuori.

L'impiegato dice: «Signorina, la comunicazione con Roma è pronta.» La signorina entra nella cabina e alza il ricevitore. «Pronto! Pronto! Chi parla?»

La signorina Pace sente la voce di sua zia e risponde: «Io, Barbara.»

LA ZIA: Is that you, Barbara?

La signorina Pace sospira: «L'inglese è così facile!»

II. *Rispondete alle seguenti domande.*

1. Chi è Giovanni Andrei?
2. Dove va la signorina Pace?
3. A chi telefona la signorina Pace?
4. Da dove telefona a sua zia?
5. A chi telefona la signorina Pace mentre aspetta il suo turno?
6. Perché usano i gettoni in Italia?
7. Che cosa dice la signorina Pace quando alza il ricevitore?
8. Perché sospira?
9. È difficile formare un numero?
10. Perché la signorina Pace dice che sua cugina sarà fuori?

1. ______________________________

2. ______________________________

3. ______________________________

4. ______________________________

5. ______________________________

6. ______________________________

7. ______________________________

8. ______________________________

9. ______________________________

10. ______________________________

CLASSE____________ DATA__________ NOME E COGNOME____________________________

PARTE B

LEZIONE 8

Rispondete alle seguenti domande, usando gli esempi come guida.

I. Esempi: Vedi il mio nuovo telefono?
No, non vedo il tuo nuovo telefono.
Presenterai i nostri compagni di scuola?
No, non presenterò i vostri compagni di scuola.

1. Metti il mio gettone nell'apparecchio?
2. Telefonerai ai miei amici?
3. Costerà molto la mia telefonata?
4. Visiti tutte le nostre classi oggi?
5. Seguirai il nostro corso d'italiano?

1. ____
2. ____
3. ____
4. ____
5. ____

II. Esempi: Scrivete il vostro esame con la penna?
Sì, scriviamo il nostro esame con la penna.
Leggete i vostri libri nel pomeriggio?
Sì, leggiamo i nostri libri nel pomeriggio.

1. Aspettate la vostra amica in classe?
2. Vedete la vostra nuova automobile oggi?
3. Fate le vostre lezioni in biblioteca?
4. Visiterete il vostro maestro domani?
5. Comprerete i vostri gettoni dall'impiegato?

1. ____
2. ____
3. ____
4. ____
5. ____

III. Esempi: Vede Maria il suo amico?

Maria vede l'amico di lui, non di lei.

Visiterà Giovanni la sua città?

Giovanni visiterà la città di lei, non di lui.

1. Scriverà lo studente la sua lezione?
2. Invita la maestra i suoi fratelli?
3. Studierà Luisa i suoi numeri?
4. Prenderà il signore il suo dizionario inglese?
5. Aspetta Mario sua madre?

1. ______________________________

2. ______________________________

3. ______________________________

4. ______________________________

5. ______________________________

IV. Esempi: Accompagnerà Lei Sua sorella alla biblioteca?

Sì, e devo accompagnare anche la Loro sorella.

Visiterà Lei le Sue zie a Firenze?

Sì, e devo visitare anche le Loro zie.

1. Farà Lei una conferenza pei Suoi fratelli?
2. Telefonerà Lei a Suo padre a Milano?
3. Incontrerà Lei le Sue cugine all'entrate?
4. Aspetterà Lei Suo zio qui?
5. Darà Lei il benvenuto a Sua sorella?

1. ______________________________

2. ______________________________

3. ______________________________

4. ______________________________

5. ______________________________

CLASSE__________ DATA_________ NOME E COGNOME________________________

PARTE C

LEZIONE 8

I. *Il lettore detterà alcune frasi del dialogo. Scrivete le frasi dettate.*

1. ____________________
2. ____________________
3. ____________________
4. ____________________
5. ____________________
6. ____________________
7. ____________________
8. ____________________
9. ____________________
10. ____________________

II. *Usando gli esempi come guida, date la forma corretta dell'aggettivo possessivo o del pronome possessivo.*

Esempi: (mine) Desideri questa penna o vuoi ___*la mia*___?

(our) Sarà ___*il nostro*___ telefono?

1. (your/tu) È molto semplice, metti ______ gettoni qui.
2. (theirs) Non sono i miei fiori, sono ______.
3. (ours) Quali sono ______ impiegati?
4. (his) Luigi scriverà con ______ nuova penna.
5. (mine) Il tuo ufficio è là ma dov'è ______?
6. (yours/Lei) È il mio turno o è ______?
7. (hers) Leggeremo il libro di lui, non ______.
8. (your/voi) Giorgio desidera conoscere ______ madre.
9. (my) Comincerò la lettera con: "______ cara".
10. (their) Chi sono? Saranno ______ cugini.

CLASSE ______________ DATA ____________ NOME E COGNOME ______________________________

PARTE D

LEZIONE 8

Usando le illustrazioni e gli esempi come guida, completate le frasi con la forma corretta dell'aggettivo possessivo.

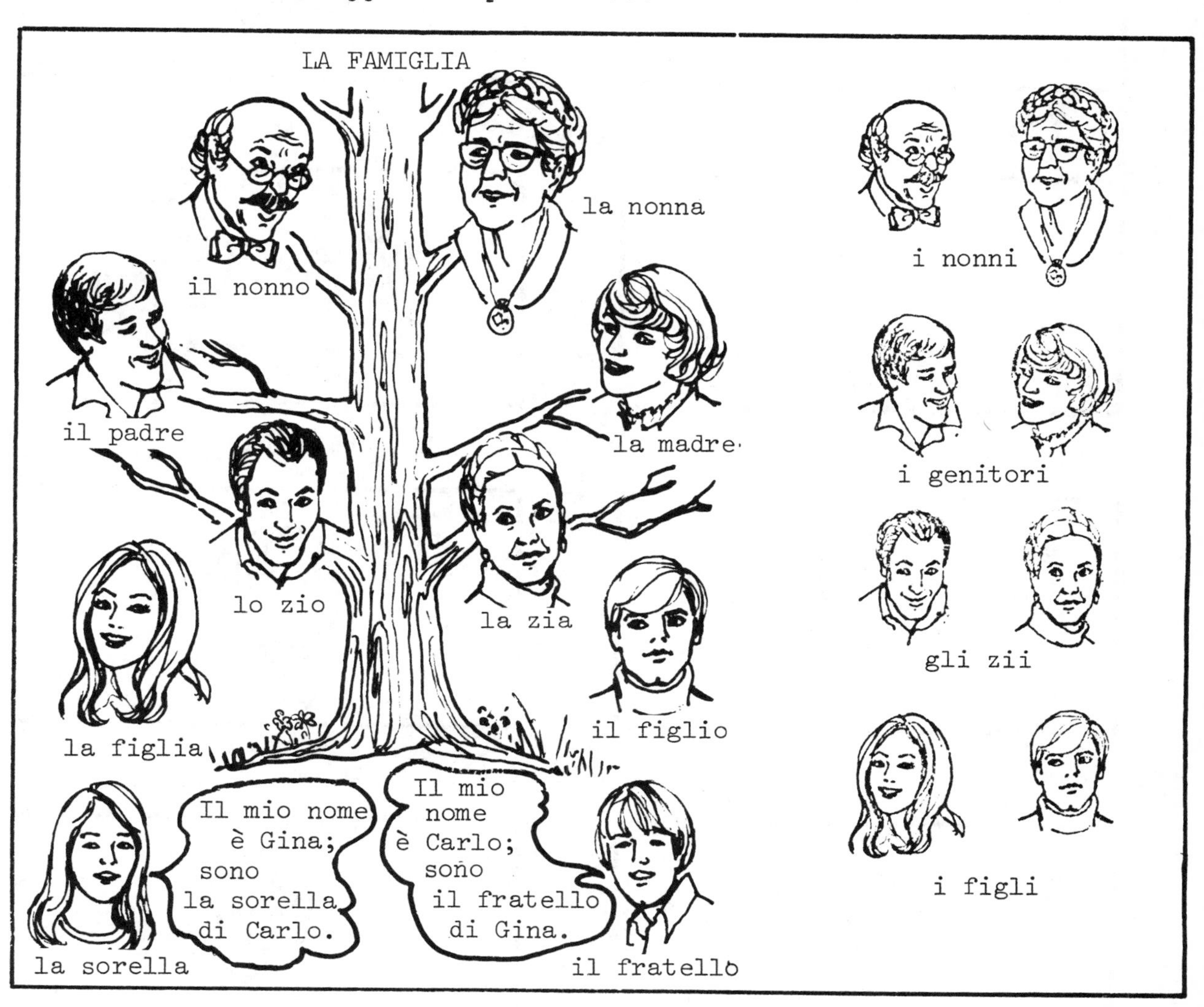

Esempi:

(tu) Saranno *i tuoi zii* ?

(Lei) Non conosco *Suo padre* .

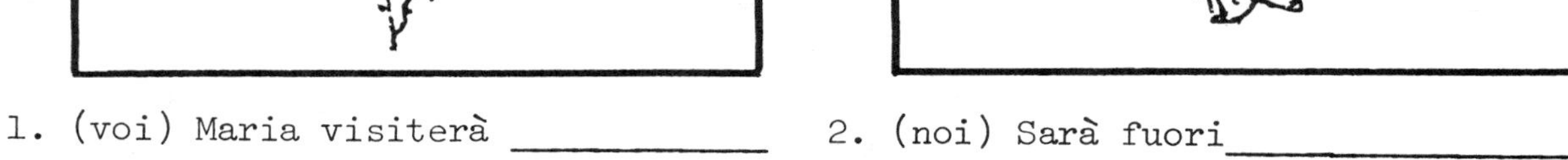

1. (voi) Maria visiterà __________

2. (noi) Sarà fuori __________

3. (Loro) Non sente bene __________?

4. (lui) Risponderanno __________?

5. (loro) Ecco __________

6. (Lei) Aspettiamo __________

7. (tu) Telefonerò a __________

8. (lei) Devo vedere __________

9. (voi) Conosceremo __________

10. (io) È la voce di __________

CLASSE____________ DATA__________ NOME E COGNOME______________________________

PARTE A

LEZIONE 9

I. *Leggete e ascoltate il dialogo seguente.*

Alla banca *La signorina Pace apre la porta della cạbina telefọnica.*

SIG.NA PACE: Ecco fatto! E ora devo andare alla banca per un minuto.

GIOVANNI: Se deve cambiare degli assegni per viaggiatori c'è un uffịcio di cạmbio quị vicino.

SIG.NA PACE: No, devo andare alla Banca Commerciale. È lontano?

GIOVANNI: Sì. Io ạbito vicino alla Banca Commerciale. Prendiamo il tram?

SIG.NA PACE: Io preferisco camminare. Va bene?

G. ANDREI: Sì, sì. Anch'io preferisco camminare.

SIG.NA PACE: Oggi non c'è nessuno per le vie.

G. ANDREI: È vero. Non c'è quasi nessuno né per le vie né nei negozi.

SIG.NA PACE: Ecco la Banca Commerciale.

G. ANDREI: In questa banca non ci sono mai molte persone, quịndici o sẹdici al mạssimo.

SIG.NA PACE: È vero. È così fạcile riscuọtere un assegno.

G. ANDREI: I miei assegni preferiti sono quelli per viaggiatori!

SIG.NA PACE: E perché?

G. ANDREI: Perché quando prendo degli assegni per viaggiatori signịfica che parto per un vịaggio.

SIG.NA PACE: Oh, ecco anche la signorina Marini, la fịglia del professọr Marini.

G. ANDREI: Dov'è?

SIG.NA PACE: Allo sportello nụmero tre. Buọn giorno, signorina Marini!

SIG.NA MARINI: Buọn giorno, signorina Pace.

L'IMPIEGATO: (*allo sportello*): Ha la carta d'identità, signorina?

SIG.NA MARINI: No, non ho né carta d'identità né passaporto. Veramente ho la carta d'identità, ma non quị.

L'IMPIEGATO: Mi dispiace, signorina.

SIG.NA MARINI: Pazienza, ripasserò domani. Grạzie lo stesso.

L'IMPIEGATO: (*alla signorina Pace*): E Lei, signorina, desịdera qualche cosa?

SIG.NA PACE: Desidero riscuotere un assegno di trentotto dollari e un vaglia postale di cento. Ecco il mio passaporto.

L'IMPIEGATO: Benissimo, ma prima deve firmare l'assegno e il vaglia.... Ecco il Suo denaro. Altro?

SIG.NA PACE: Sì. Desidero depositare quest'assegno nel mio conto corrente.

L'IMPIEGATO: Ecco fatto.

SIG.NA PACE: Grazie. (*a Giovanni Andrei*) E ora devo ritornare alla pensione.

G. ANDREI: L'accompagno?

SIG.NA PACE: Grazie, non è necessario. Prendo il tram perché è tardi.

II. *Rispondete alle seguenti domande.*

1. Chi apre la porta della cabina telefonica?
2. Perché la signorina Pace deve andare alla banca?
3. È lontano l'ufficio di cambio?
4. Prende il tram per andare alla banca la signorina Pace?
5. Perché non prende il tram?
6. Ci sono molte persone per le vie?
7. Perché Giovanni preferisce gli assegni per viaggiatori?
8. Chi incontrano alla banca la signorina Pace e Giovanni Andrei?
9. Perché la signorina Marini non riscuote il suo assegno?
10. Perché la signorina Pace ritorna alla pensione in tram?

1. ______________________________

2. ______________________________

3. ______________________________

4. ______________________________

5. ______________________________

6. ______________________________

7. ______________________________

8. ______________________________

9. ______________________________

10. ______________________________

CLASSE__________ DATA__________ NOME E COGNOME______________________

PARTE B

LEZIONE 9

Rispondete alle seguenti domande, usando gli esempi come guida.

I. Esempi: Arriva Anna presto a scuola?
Anna non arriva mai presto a scuola.
I ragazzi studiano molto a casa?
I ragazzi non studiano mai molto a casa.

1. Mario capisce sempre quando il professore parla?
2. L'amico di Carlo desidera fare una telefonata?
3. Gli studenti devono prendere il tram?
4. È facile riscuotere un assegno?
5. In questa banca ci sono molte persone?

1. ______________________________
2. ______________________________
3. ______________________________
4. ______________________________
5. ______________________________

II. Esempi: Carlo conosce Anna e Gina?
Carlo non conosce né Anna né Gina.
Prende Lei pane e burro?
Non prendo né pane né burro.

1. Vedete il fratello e la sorella della signorina Bianchi?
2. Domani comprerà Lei l'abito nero e la cravatta rossa?
3. Accompagneranno Loro lo zio e la cugina alla pensione?
4. Ci sono molte persone per le vie e nei negozi?
5. Imparate voi l'inglese e il francese?

1. ______________________________
2. ______________________________
3. ______________________________
4. ______________________________
5. ______________________________

III. Esempi: Ho dei libri, ma non molti.
<u>Ho alcuni libri, ma non molti</u>.
Prendo del formaggio italiano.
<u>Prendo un po' di formaggio italiano</u>.

1. Lui ha dei dollari americani.
2. Devo riscuotere degli assegni per viaggiatori.
3. Preferisco del vino bianco, non rosso.
4. Domani impareremo delle parole nuove in classe.
5. Lui compra del caffè italiano.

1. ______________________________

2. ______________________________

3. ______________________________

4. ______________________________

5. ______________________________

IV. Esempi: Loro avranno degli invitati a casa.
<u>Avranno loro invitati a casa</u>?
Giovanni ha delle sorelle in Italia.
<u>Ha Giovanni sorelle in Italia</u>?

1. Le ragazze hanno dei quaderni.
2. Luisa ha dei soldi per lui.
3. Loro hanno delle zie in America.
4. Lui comprerà degli assegni alla banca.
5. Domani ci saranno dei rinfreschi.

1. ______________________________

2. ______________________________

3. ______________________________

4. ______________________________

5. ______________________________

CLASSE____________ DATA__________ NOME E COGNOME____________________________

PARTE C

LEZIONE 9

I. *Il lettore detterà alcune frasi del dialogo. Scrivete le frasi dettate.*

1. ______________________________

2. ______________________________

3. ______________________________

4. ______________________________

5. ______________________________

6. ______________________________

7. ______________________________

8. ______________________________

9. ______________________________

10. ______________________________

II. *Scrivete i numeri seguenti usando gli esempi come guida.*

Esempi: 72 - 18 = 54
Settantadue meno diciotto fanno cinquantaquattro.

66 + 21 = 87
Sessantasei più ventuno fanno ottantasette.

1. 80 - 62 = 18

___

2. 19 + 3 = 22

___

3. 73 + 21 = 94

___

4. 88 - 19 = 69

___

5. 95 + 5 = 100

___

6. 50 + 33 = 83

___

7. 11 + 26 = 37

___

8. 63 + 8 = 71

___

9. 72 - 14 = 58

___

10. 46 - 46 = 0

___

CLASSE____________ DATA__________ NOME E COGNOME____________________________

PARTE D

LEZIONE 9

Usando le illustrazioni e gli esempi come guida, completate le frasi con le forme corrette del partitivo.

Esempi:

(a) Devo leggere *dei libri.*

(b) Devo leggere *alcuni libri.*

(c) Devo leggere *qualche libro.*

(a) Maria ha *delle lire.*

(b) Maria ha *alcune lire.*

(c) Maria ha *qualche lira.*

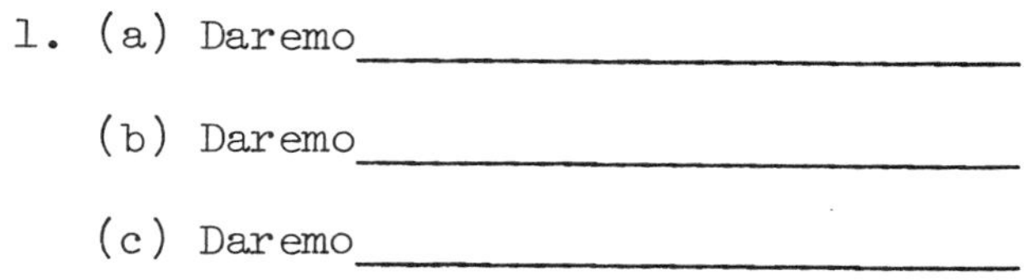

1. (a) Daremo ____________________

   (b) Daremo ____________________

   (c) Daremo ____________________

2. (a) Luigi avrà ____________________

   (b) Luigi avrà ____________________

   (c) Luigi avrà ____________________

3. (a) Vediamo ____________________

   (b) Vediamo ____________________

   (c) Vediamo ____________________

4. (a) Desidero comprare ____________

   (b) Desidero comprare ____________

   (c) Desidero comprare ____________

CLASSE____________ DATA__________ NOME E COGNOME______________________________

PARTE A

LEZIONE 10

I. *Leggete e ascoltate il dialogo seguente.*

Una colazione

In Italia ci sono diverse città note per le loro terme e per gli effetti salutari delle acque di queste terme. Una di queste (these) città è Montecatini, situata nelle colline toscane fra Firenze e il mare. Barbara Pace ha visitato Montecatini in giornata. Ora è sera, e nel salotto della pensione essa legge una rivista. Entra la signorina Ricci.

SIG.NA RICCI: Buona sera, signorina Pace. Dov'è stata oggi? Non L'ho veduta a colazione.

SIG.NA PACE: Sono stata a Montecatini, dove mi ha invitata la signora Brown, una signora americana.

SIG.NA RICCI: Come è andata a Montecatini, in autobus?

SIG.NA PACE: No, la signora Brown è venuta a Firenze con la sua automobile e mi ha portata a Montecatini in quaranta minuti.

SIG.NA RICCI: Montecatini è una città molto carina, non è vero?

SIG.NA PACE: Sì, molto. Ci sono molte belle ville e molti alberi.

SIG.NA RICCI: Ha visitato le Terme?

SIG.NA PACE: Sì, sono belle! E ho anche assaggiato l'acqua. Com'è cattiva! Lei l'ha assaggiata mai?

SIG.NA RICCI: Sì. Come ha visto, ci sono molte persone nelle Terme. Tutte con un bicchiere d'acqua in mano.

SIG.NA PACE: Poi la signora Brown m'ha portata a colazione alla sua bella villa.

SIG.NA RICCI: Che cosa ha mangiato?

SIG.NA PACE: Tagliatelle verdi, bistecca, insalata, frutta e caffè: una colazione eccellente.

SIG.NA RICCI: La Sua amica L'ha riportata a Firenze con l'automobile?

SIG.NA PACE: No. Sono ritornata in autobus. C'è un servizio eccellente di autobus fra Montecatini e Firenze.

SIG.NA RICCI: È vero. Io ho un'amica a Montecatini, e quando m'invita a pranzo prendo sempre l'autobus... Ma scusi, signorina, sono certa che Lei desidera leggere la Sua rivista.

Ed infatti Barbara vuole leggere un articolo molto interessante sulla musica popolare in Italia in una rivista.

II. *Rispondete alle seguenti domande.*

1. Per che cosa sono note diverse città italiane?
2. Dov'è situata Montecatini?
3. Perché la signorina Ricci non ha veduto la signorina Pace?
4. È andata in autobus a Montecatini la signorina Pace?
5. Com'è ritornata?
6. Quanti giorni è restata a Montecatini?
7. Ha mangiato in una pensione a Montecatini?
8. Che cosa ha mangiato?
9. Che cosa hanno in mano molte persone nelle Terme?
10. Che articolo vuole leggere Barbara?

1. ______________________________

2. ______________________________

3. ______________________________

4. ______________________________

5. ______________________________

6. ______________________________

7. ______________________________

8. ______________________________

9. ______________________________

10. ______________________________

CLASSE__________ DATA_________ NOME E COGNOME______________________

PARTE B

LEZIONE 10

Usando gli esempi come guida, rispondete e fate i cambiamenti indicati.

I. Esempi: È bella la signorina Rossi?
Com'è bella!
Cantano bene le ragazze?
Come cantano bene!

1. Giovanni e Maria sono bravi a scuola?
2. Parlano bene italiano i Suoi fratelli?
3. Legge bene l'inglese lui?
4. Sono cattivi i ragazzi della tua classe?
5. Gli studenti stranieri imparano bene?

1. ______________________
2. ______________________
3. ______________________
4. ______________________
5. ______________________

II. Esempi: Poi la signora ci porterà a colazione.
Poi la signora ci ha portati a colazione.
Loro desideranno leggere le nuove riviste.
Loro hanno desiderato leggere le nuove riviste.

1. Barbara m'inviterà a pranzo.
2. La studentessa sarà nel salotto.
3. La signorina Pace entrerà.
4. Non La inviterò a colazione.
5. Assaggeremo l'acqua delle Terme.

1. ______________________
2. ______________________
3. ______________________
4. ______________________
5. ______________________

III. Esempi: Vediamo Gina e Sofia.
Le abbiamo vedute.
Non capisco Maria.
Non l'ho capita.

1. I compagni di scuola vedono i professori.
2. Noi non spieghiamo bene le lezioni.
3. Voi non aspettate la signorina Marini alla banca.
4. Gli studenti ascoltano i maestri.
5. Loro non pagano la frutta.

1. ______________________________

2. ______________________________

3. ______________________________

4. ______________________________

5. ______________________________

IV. Esempi: Arriva lui presto a scuola?
Non è mai arrivato presto a scuola.
Legge Lei molto in biblioteca?
Non ho mai letto molto in biblioteca.

1. Capiscono Loro le lezioni?
2. Fate una telefonata interurbana?
3. Devi tu prendere il filobus?
4. Vede Lei l'esame del Suo compagno?
5. Visita lui spesso l'Università per Stranieri?

1. ______________________________

2. ______________________________

3. ______________________________

4. ______________________________

5. ______________________________

CLASSE__________ DATA__________ NOME E COGNOME______________________

PARTE C

LEZIONE 10

I. *Il lettore detterà alcune frasi del dialogo. Scrivete le frasi dettate.*

1. ______________________________

2. ______________________________

3. ______________________________

4. ______________________________

5. ______________________________

6. ______________________________

7. ______________________________

8. ______________________________

9. ______________________________

10. ______________________________

II. *Date la forma corretta del passato prossimo.*

Esempi: (inviterò) *Ho invitato* Giorgio a colazione.

(ritorneremo) E poi *siamo ritornati* alla pensione.

1. (starete) Non ______________________ alla Villa d'Este?
2. (arriverai) Quando ______________________ a Montecatini?
3. (saranno) Loro ______________________ a scuola.
4. (finiremo) ______________________ tutte le tagliatelle.
5. (leggerà) Che cosa ______________________ in biblioteca?
6. (darò) ______________________ il benvenuto agl'impiegati.
7. (compreranno) Lo ______________________ loro coi loro soldi.
8. (conosceremo) Non ______________________ né Paolo né Rosetta.
9. (capirai) Mi dispiace ma non ______________________ niente.
10. (ritornerà) Quando ______________________ a casa sua madre?

CLASSE__________ DATA__________ NOME E COGNOME__________________

PARTE D

LEZIONE 10

Usando le illustrazioni e gli esempi come guida, leggete le seguenti frasi e poi scrivete la frase adatta sotto ogni illustrazione.

(a) Ho sempre mangiato bene a Bologna.
(b) Come ha insegnato bene il professore!
(c) Giorgio ha scritto una lunga lettera.
(d) Com'è bella Venezia! Ecco una gondola.
(e) Questo ragazzo non è carino ... è cattivo!
(f) Ci sono molte belle ville e molti alberi.
(g) Ho fatto una telefonata interurbana.
(h) Avete già riportato il libro?
(i) Questa è l'automobile che abbiamo veduto ieri.
(j) La signorina Pace è stata alla banca oggi.
(k) Il nonno ha sempre ascoltato attentamente.
(l) Tutte con un bicchiere d'acqua in mano.

Esempi:

(d) Com'è bella Venezia! Ecco una gondola.

(i) Questa è l'automobile che abbiamo veduto ieri.

1. ____________________

____

2. ____________________

____

3. ____________________________________

____

4. ____________________________________

____

5. ____________________________________

____

6. ____________________________________

____

7. ____________________________________

____

8. ____________________________________

____

9. ____________________________________

____

10. ____________________________________

____

CLASSE__________ DATA__________ NOME E COGNOME____________________

PARTE A

LEZIONE 11

I. *Leggete e ascoltate il dialogo seguente.*

Veduta di Firenze

Firenze, come molte altre città italiane, è bella per le sue piazze, le sue vie, i suoi palazzi e le sue chiese. È un vero piacere visitare le città italiane a piedi. Ma molte città sono belle anche vedute dall'alto: per esẹmpio, Roma presenta un bel panorama dal Pịncio, Venẹzia dall'alto del suo Campanile, Nạpoli dal Vọmero, e Palermo dal Monte San Pellegrino. Firenze offre un bel panorạma da Piazzale Michelạngelo.

La signorina Pace e la signorina Manịn hanno studiato tutta la mattinata alla Biblioteca Nazionale, e ora sono a Piazzale Michelạngelo dove sono venute in tram per vedere il panorama di Firenze.

SIG.NA MANỊN: Lei è stata altre volte su questa collina?
SIG.NA PACE: No. Questa è la prima volta. E Lei?
SIG.NA MANỊN: Io sì, vengo quị spesso con un mio amico. È una veduta magnịfica.
SIG.NA PACE: Eh, sì! Quẹl palazzo è la Biblioteca Nazionale, vero?
SIG.NA MANỊN: Sì. E lì vicino c'è la chiesa di Santa Croce.
SIG.NA PACE: E la chiesa di Santa Maria Novella, dov'è?
SIG.NA MANỊN: A sinistra. Vede quella torre?
SIG.NA PACE: Sì, sì. E a destra ci sono il campanilẹ di Giotto, la cụpola di Santa Maria del Fiore e la torre del Palazzo della Signoria, chiamato anche Palazzo Vẹcchio.
SIG.NA MANỊN: Quante torri! E Fiẹsole dov'è? Non la vedo.
SIG.NA PACE: Nemmeno io.
SIG.NA MANỊN: L'ho trovata! È su quella collina là, fra quegli ạlberi.
SIG.NA PACE: Ah, sì. Ora la vedo.
SIG.NA MANỊN: E quello è il Ponte Vẹcchio.
SIG.NA PACE: Sì, lo conosco bene, ma gli altri ponti, no.
SIG.NA MANỊN: È una cartolina di Firenze quella che ha in mano?
SIG.NA PACE: Sì, la mando a un mio cugino in Califọrnia. È una veduta di Firenze. Ora ritorniamo in città?
SIG.NA MANỊN: Sì, sono pronta. Prendiamo il tram, o andiamo a piedi?
SIG.NA PACE: Come desịdera. Ecco il tram.

Le due ragazze prẹndono il tram e scẹndono vicino al Ponte Vẹcchio. La signorina Pace ritorna alla biblioteca, e la signorina Manịn va a comprare il giornale e poi va a casa.

II. *Rispondete alle seguenti domande.*

1. Per che cosa è bella Firenze?
2. Perché è un piacere visitare le città italiane a piedi?
3. Da dove presenta un bel panorama Roma?
4. Che cosa è Fiesole?
5. Dov'è Fiesole?
6. Che cosa vediamo da Piazzale Michelangelo?
7. Ci sono ponti famosi a Firenze?
8. Che cosa ha in mano la signorina Pace?
9. Dove abita il cugino della signorina Pace?
10. Quando le due ragazze ritornano in città, prendono il tram, o vanno a piedi?

1. ____________________

2. ____________________

3. ____________________

4. ____________________

5. ____________________

6. ____________________

7. ____________________

8. ____________________

9. ____________________

10. ____________________

CLASSE__________ DATA__________ NOME E COGNOME____________________

PARTE B

LEZIONE 11

Scrivete le frasi seguenti facendo i cambiamenti indicati.

I. Esempi: Ha ricevuto Lei questa cartolina illustrata?
No, ho ricevuto quella cartolina illustrata.
Avete comprato questi libri?
No, abbiamo comprato quei libri.

1. Roberto ha veduto questo ponte?
2. Scriverà Lei quest'assegno?
3. Desiderano Loro visitare queste chiese?
4. Sarà Maria contenta con questo specchio?
5. Prendi tu quest'autobus?

1. ____________________
2. ____________________
3. ____________________
4. ____________________
5. ____________________

II. Esempi: Leggerai tu questa rivista?
No, leggerò quella.
Visiteranno Loro quei musei?
No, visiteremo questi.

1. Scriverà Lei questo esercizio?
2. Preferite voi questi studenti?
3. Comprerai tu quegli specchi?
4. Scende Lei vicino a quella chiesa?
5. Vedono Loro queste cupole a sinistra?

1. ____________________
2. ____________________
3. ____________________
4. ____________________
5. ____________________

III. Esempi: Questa cupola è molto bella, vero?
Queste cupole sono molto belle, vero?
Domani visiteremo quel ponte.
Domani visiteremo quei ponti.

1. La porta di quest'ufficio è a sinistra.
2. Questa scuola è nuova, vero?
3. Loro abiteranno in quella pensione lì vicino
4. È vero che lui preferisce quello studente?
5. Il professore non ha veduto quello sbaglio.

1. ______________________________

2. ______________________________

3. ______________________________

4. ______________________________

5. ______________________________

IV. Esempi: Vieni tu a casa sempre presto?
Venite voi a casa sempre presto?
La nostra maestra va a Fiesole oggi.
Le nostre maestre vanno a Fiesole oggi.

1. Non vengo mai qui a piedi.
2. Va Lei a sinistra o a destra?
3. La signora viene qui in Italia ogni estate.
4. Vado su quella collina.
5. Va lui là per godere la veduta, vero?

1. ______________________________

2. ______________________________

3. ______________________________

4. ______________________________

5. ______________________________

CLASSE__________ DATA__________ NOME E COGNOME____________________

PARTE C

LEZIONE 11

I. *Il lettore leggerà alcune frasi del dialogo. Scrivete le frasi dettate.*

1. ____________________
2. ____________________
3. ____________________
4. ____________________
5. ____________________
6. ____________________
7. ____________________
8. ____________________
9. ____________________
10. ____________________

II. *Date la forma corretta dell'aggettivo dimostrativo o del pronome dimostrativo.*

Esempi: (this) ___*Questa*___ villa è del signor Merlini.

(those) Dove sono ___*quegli*___ zaini che ho comprato?

1. (that) Non ho mai veduto ______________ chiesa là sulla collina.

2. (this) Com'è bella ______________ cupola medioevale!

3. (this) È ______________ il Palazzo Vecchio?

4. (those) ______________ ponti sono veramente molto vecchi.

5. (these) Non è la prima volta che fai ______________ errori.

6. (that) ______________ spettacolo è stato interessante.

7. (this) Desidero comprare ______________ abito nero.

8. (those) Sono belle ______________ colline, vero?

9. (these) Leggerete voi ______________ riviste americane?

10. (that) Lì a destra c'è ______________ giornale che desideri leggere.

CLASSE__________ DATA__________ NOME E COGNOME____________________

PARTE D

LEZIONE 11

Usando le illustrazioni e gli esempi come guida, completate le frasi con la forma corretta dell'aggettivo dimostrativo.

Esempi:

(a) Preferisco *questi bicchieri.*

(b) Preferisco *quei bicchieri.*

(a) Com'è bella *questa torre.*

(b) Com'è bella *quella torre.*

1. (a) Conosco ____________________
   (b) Conosco ____________________

2. (a) Ho già letto ____________________
   (b) Ho già letto ____________________

3. (a) ____________________ è vecchia.
   (b) ____________________ è vecchia.

4. (a) Ora vediamo ____________________
   (b) Ora vediamo ____________________

5. (a) A destra c'è ____________________
   (b) A destra c'è ____________________

6. (a) Gina desidera ____________________
   (b) Gina desidera ____________________

CLASSE__________ DATA__________ NOME E COGNOME______________________

7. (a) Saranno ____________________

   (b) Saranno ____________________

8. (a) Aprite ____________________

   (b) Aprite ____________________

9. (a) Leggerò ____________________

   (b) Leggerò ____________________

10. (a) Sono moderni ______________

    (b) Sono moderni ______________

CLASSE__________ DATA_________ NOME E COGNOME______________________

PARTE A

LEZIONE 12

I. *Leggete e ascoltate il dialogo seguente.*

Nel ristorante *Le ragazze che stanno alla pensione della signorina Pace si ạlzano presto. Dopo che si sono alzate, si lạvano, si vẹstono, e poi vanno nella sala da pranzo dove fanno la prima colazione.*

Anche la signorina Pace di sọlito s'alza presto. Oggi, però, è domẹnica e si alza molto tardi. Quando è pronta va a Piazza del Duomo dove ha un appuntamento con Giovanni. Giovanni non è ancora arrivato, ma arriva dopo poco. Si scusa e, dopo che s'è scusato, vanno a un ristorante dove faranno colazione insieme. Ẹntrano nel ristorante e si siẹdono a una tạvola. Un cameriere dà una lista alla signorina Pace, e una lista al signọr Andrei.

CAMERIERE: Buọn giorno, signori. Desịderano vino bianco o vino rosso?

GIOVANNI: Bianco. (*alla signorina Pace*) Va bene?

SIG.NA PACE: Sì, sì.

GIOVANNI: È il mio ristorante preferito. Quị tutto è buono. Io ho pranzato quị molte volte.

SIGNA. PACE: E poi è un ristorante molto carino. Ecco il cameriere col vino e col pane.

CAMERIERE: Desịderano un po' d'antipasto, una minestra?...

SIG.NA PACE: Io preferisco una minestra.

GIOVANNI: E io tagliatelle.

SIG.NA PACE: A propọsito, che differenza c'è fra tagliatelle e fettuccine?

GIOVANNI: Nessuna. Sono la stessa cosa. Ma a Firenze le chiạmano tagliatelle e a Roma fettuccine.

CAMERIERE: E poi, carne o pesce?

SIG.NA PACE: Lei che cosa prende, signọr Andrei?

GIOVANNI: Un po' di fritto misto.

SIG.NA PACE: Che cosa c'è nel fritto misto?

CAMERIERE: Pollo, zucchini, sẹdani, cervello . . .

SIG.NA PACE: Cervello? No, grạzie, io prendo del vitello arrosto e piselli o fagiolini.

GIOVANNI: (*al cameriere*) E dopo, una macedọnia di frutta.

CAMERIERE: Abbiamo anche una torta squisita.

GIOVANNI: Benịssimo. (*alla signorina Pace*) E ora, signorina, perché non parliamo un po' in inglese? Se non parlo inglese quando sono con Lei non lo imparerò mai.

SIG.NA PACE: Ma sì, volentieri! I mean, of course, gladly!

II. *Rispondete alle seguenti domande.*

1. Perché la signorina Pace non fa colazione alla pensione?
2. Dove s'incontrano la signorina Pace e il signor Andrei?
3. Quando la signorina Pace arriva in Piazza del Duomo, è già arrivato Giovanni?
4. Quando entrano nel ristorante che cosa fanno?
5. Che cosa fa il cameriere?
6. Che c'è nel fritto misto?
7. Perché la signorina Pace non prende il fritto misto?
8. Perché Giovanni desidera parlare inglese?
9. Come chiamano le fettuccine a Firenze?
10. Perché Giovanni si è scusato?

1. ______________________________

2. ______________________________

3. ______________________________

4. ______________________________

5. ______________________________

6. ______________________________

7. ______________________________

8. ______________________________

9. ______________________________

10. ______________________________

CLASSE__________ DATA__________ NOME E COGNOME____________________

PARTE B

LEZIONE 12

Scrivete le frasi seguenti facendo i cambiamenti indicati.

I. Esempi: Quando si alza Lei?
Mi alzo presto e poi mi diverto.
Quando vi lavate?
Ci laviamo presto e poi ci divertiamo.

1. Quando si lavano Loro?
2. Quando si alza la signorina?
3. Quando si alzano i ragazzi?
4. Quando ti lavi?
5. Quando vi lavate?

1. ____________________
2. ____________________
3. ____________________
4. ____________________
5. ____________________

II. Esempi: Ti sei scusato?
No, ma mi scuserò.
Si sono vestiti Loro per il ricevimento?
No, ma ci vestiremo.

1. Si è seduto lei a una tavola?
2. Si sono vestiti Loro?
3. Si è vestita Maria?
4. Mario e Carlo si sono scusati?
5. Lei non si è ancora vestito?

1. ____________________
2. ____________________
3. ____________________
4. ____________________
5. ____________________

III. Esempi: Mi alzo e poi vado a scuola.
Mi sono alzato e poi sono andato a scuola.
Loro si divertono molto in quel ristorante.
Loro si sono divertiti molto in quel ristorante.

1. Ci sediamo a una tavola vicino alla piazza.
2. Quando lui vede Luisa, si scusa.
3. Ti vesti presto e poi vai alla biblioteca.
4. Vedo che non vi lavate bene.
5. Mi dispiace, ma Lei non si diverte.

1. ____________________

2. ____________________

3. ____________________

4. ____________________

5. ____________________

IV. Esempi: Questa bistecca è squisita.
Queste bistecche sono squisite.
È lungo l'esame di quel professore?
Sono lunghi gli esami di quel professore?

1. Dov'è la banca in questa città?
2. Preferisco ascoltare la Fuga di Vivaldi, grazie.
3. Quella cravatta non è bianca, è verde.
4. È bella la biblioteca dell'Università per Stranieri?
5. La Sua vecchia amica parla italiano?

1. ____________________

2. ____________________

3. ____________________

4. ____________________

5. ____________________

CLASSE__________ DATA_________ NOME E COGNOME________________________

PARTE C

LEZIONE 12

I. *Il lettore detterà alcune frasi del dialogo. Scrivete le frasi dettate.*

1. ______________________________

2. ______________________________

3. ______________________________

4. ______________________________

5. ______________________________

6. ______________________________

7. ______________________________

8. ______________________________

9. ______________________________

10. ______________________________

II. *Mettete le frasi seguenti al presente indicativo e poi al passato prossimo.*

Esempi: Non ci divertiremo molto con loro.
(a) Non *ci divertiamo* molto con loro.
(b) Non *ci siamo divertiti* molto con loro.

1. Dopo poco i ragazzi si vestiranno.

(a) ______________________________

(b) ______________________________

2. Perché non ti laverai bene?

(a) ______________________________

(b) ______________________________

3. Vedo che Lei non si divertirà molto; mi dispiace!

(a) ______________________________

(b) ______________________________

4. Dov'è che ci sederemo in questo ristorante?

(a) ______________________________

(b) ______________________________

5. Mio padre e mio fratello si alzeranno molto presto.

(a) ______________________________

(b) ______________________________

CLASSE ____________ DATA__________ NOME E COGNOME____________________________

PARTE D

LEZIONE 12

Usando le illustrazioni come guida, rispondete alle seguenti domande.

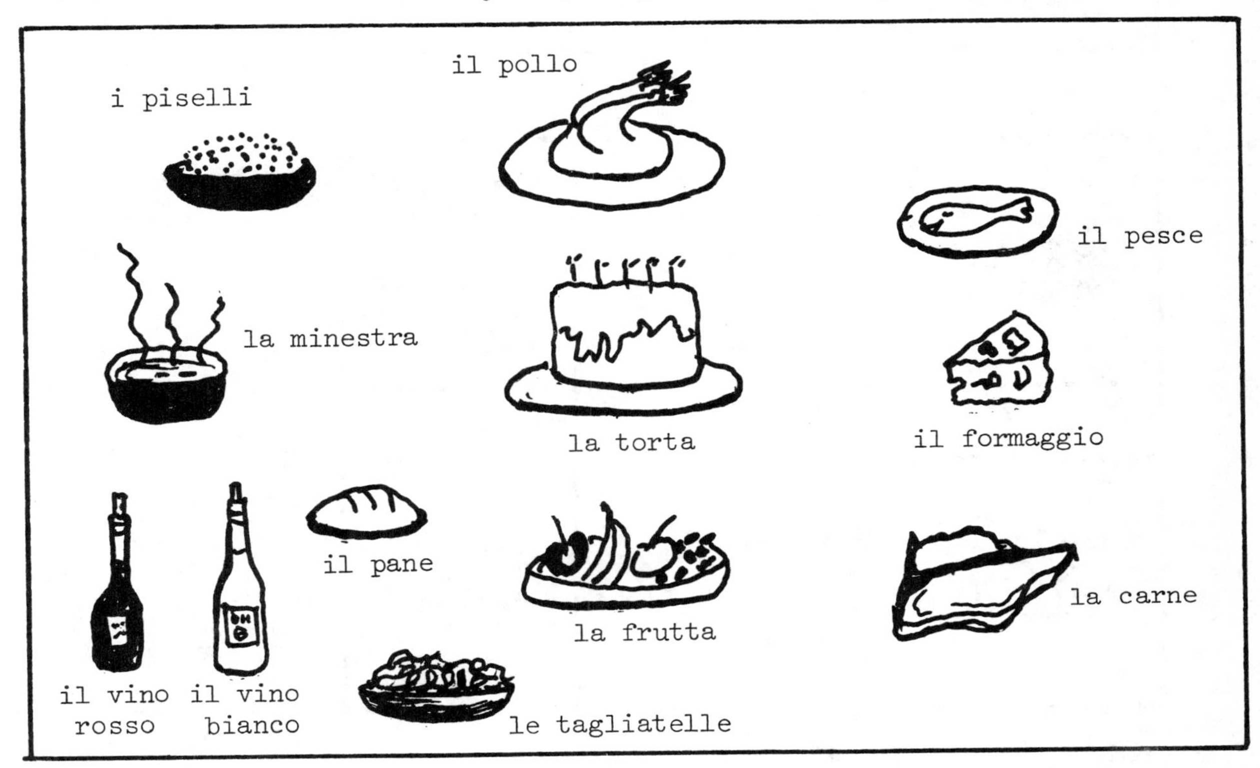

Esempi:

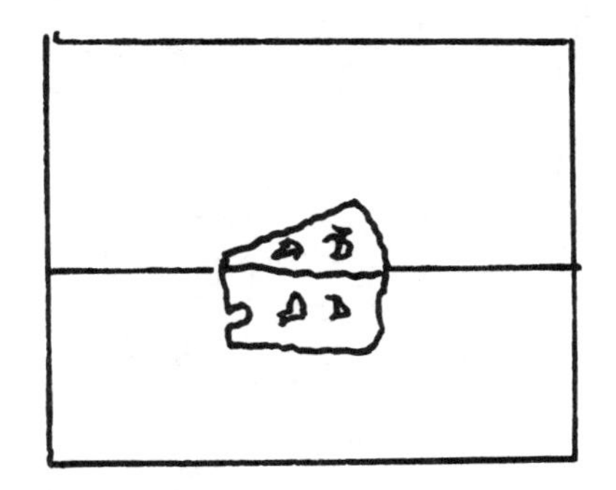

Lei che cosa desidera?

Desidero del formaggio.

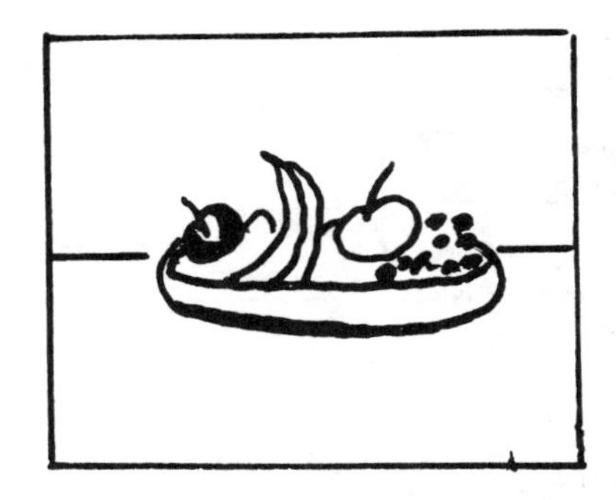

Loro che cosa prendono?

Prendiamo della frutta.

1\. Tu, Mario, che cosa preferisci?

____

____

2\. Voi che cosa desiderate?

____

____

3\. Lei che cosa prende, signorina?

____

____

4\. Che cosa preferiscono Giovanni e Giorgio?

____

____

5\. E Lei che cosa desidera?

____

____

6\. Voi, ragazzi, che cosa preferite?

____

____

7\. E poi, che cosa prende Lei?

____

____

8\. Loro che cosa desiderano?

____

____

9\. E dopo, che cosa prendete?

____

____

10\. Lei che cosa preferisce?

____

____

CLASSE________________ DATA_____________ NOME E COGNOME_________________________________

PARTE A

LEZIONE 13

I. *Leggete e ascoltate il dialogo seguente.*

Andiamo al cinema? *Anche se, come in molti altri paesi del mondo, oggi in Italia quasi tutti hanno un televisore in casa, il cinema continua ad essere popolare e ad attirare molte persone. In questi giorni in Italia è in visione un film di un giovane regista che ha avuto grande successo. A Firenze questo film è in visione al Cinema Verdi insieme a un documentario su Napoli. Giovanni Andrei ha telefonato a Barbara Pace e l'ha invitata ad andare al cinema. Arriva alla pensione dove abita Barbara e suona il campanello.*

GIOVANNI: Buona sera.

CAMERIERA: Buona sera, signor Andrei. S'accomodi.

La cameriera della pensione riconosce subito il signor Andrei perché non è la prima volta che viene alla pensione. Mentre Giovanni aspetta, la cameriera bussa alla porta della signorina Pace e le dice: «È arrivato il signor Andrei, signorina.» «Vengo subito,» risponde Barbara, e poco dopo entra nel salotto (or: in salotto). *Giovanni s'alza e la saluta.*

GIOVANNI: Buona sera, signorina.

SIG.NA PACE: Buona sera, Giovanni (*gli dà la mano*).

GIOVANNI: Andiamo al cinema? Quando ho telefonato ho dimenticato di dire che oltre al film c'è anche un documentario molto interessante su Napoli.

SIG.NA PACE: Fantastico! Io non conosco Napoli ancora, ma già mi piace. Lei è stato mai a Napoli?

GIOVANNI: Sì, molti anni fa visitai Napoli e Capri. Fu una gita breve ma interessante.

SIG.NA PACE: Andò solo?

GIOVANNI: No, andai con mio padre e con mia madre e ci divertimmo molto. I miei genitori restarono a Napoli e non visitarono Capri, ma io andai a Capri per cinque giorni. Poi c'incontrammo a Napoli e ritornammo a Firenze insieme.

SIG.NA PACE: Visitarono anche Amalfi?

GIOVANNI: No, non avemmo tempo. Come Le ho detto fu una visita breve e dovemmo ritornare subito.

SIG.NA PACE: Presto farò anch'io una gita a Capri.

GIOVANNI: Le piacerà molto Capri, e anche Napoli. Conosco molte persone a Napoli e se mi dice quando partirà, scriverò loro.

SIG.NA PACE: Sono certa che le Sue lẹttere mi saranno molto ụtili. (*E la signorina Pace gli sorride.*) Grạzie.

GIOVANNI: Le pare... andiamo?

SIG.NA PACE: Sì, mi cạmbio in cịnque minuti e andiamo.

GIOVANNI: Benịssimo.

II. *Rispondete alle seguenti domande.*

1. Ci sono televisori in Italia?
2. Che cosa fa Giovanni quando arriva alla porta della pensione?
3. Che cosa dice Giovanni quando la cameriera apre la porta?
4. Che gli risponde la cameriera?
5. Perché la cameriera riconosce subito Giovanni?
6. Conosce Napoli la signorina Pace?
7. Con chi andò a Napoli Giovanni?
8. Perché Giovanni e suo padre non visitarono Amalfi?
9. Che cosa farà Giovanni se la signorina Pace va a Napoli?
10. Vanno subito al cinema Barbara e Giovanni?

1. ______________________________

2. ______________________________

3. ______________________________

4. ______________________________

5. ______________________________

6. ______________________________

7. ______________________________

8. ______________________________

9. ______________________________

10. ______________________________

CLASSE__________ DATA__________ NOME E COGNOME____________________

PARTE B

LEZIONE 13

Rispondete alle seguenti domande usando gli esempi come guida.

I. Esempi: Il professore t'insegna molto in classe?
Il professore non m'insegna molto in classe.
Il cameriere ha portato Loro il vino rosso?
Il cameriere non ci ha portato il vino rosso.

1. Ci parli tu di tuo fratello?
2. Gli porteranno l'antipasto?
3. Vi ha insegnato tutte le nuove lezioni?
4. Le hanno inviato una cartolina da Bologna?
5. Vi spiegano le parole difficili a scuola?

1. ____________________
2. ____________________
3. ____________________
4. ____________________
5. ____________________

II. Esempi: Le è piaciuto il film italiano?
Sì, mi è piaciuto il film italiano.
Vi piacciono le tagliatelle al burro?
Sì, ci piacciono le tagliatelle al burro.

1. Ti piaceva nuotare quando eri giovane?
2. Le piacciono le illustrazioni di questo libro?
3. Vi piacerà quel documentario su Capri?
4. Gli piace andare al cinema?
5. Ti è piacuto quest'esercizio?

1. ____________________
2. ____________________
3. ____________________
4. ____________________
5. ____________________

Scrivete le frasi seguenti usando gli esempi come guida.

III. Esempi: Ci divertiremo molto alla piscina.
Ci divertimmo molto alla piscina.
Non mi lavo presto alla pensione.
Non mi lavai presto alla pensione.

1. Lui si siede in quel ristorante vicino alla piazza.
2. Poco dopo Maria si scuserà.
3. Mi vesto per il ricevimento all'università.
4. Perché si è alzato presto?
5. Voi non vi laverete subito.

1. ____________________

2. ____________________

3. ____________________

4. ____________________

5. ____________________

IV. Esempi: È una gita breve ma molto interessante.
Fu una gita breve ma molto interessante.
Va lui con Piera o va solo?
Andò lui con Piera o andò solo?

1. Lui resta a Napoli per molti giorni.
2. Ma io vado ad Amalfi per tre giorni.
3. Poi c'incontriamo tutti insieme a Milano.
4. Non ritornano dalla gita.
5. Mi dispiace, ma non abbiamo tempo per andare al cinema.

1. ____________________

2. ____________________

3. ____________________

4. ____________________

5. ____________________

CLASSE__________ DATA__________ NOME E COGNOME______________________________

PARTE C

LEZIONE 13

I. *Il lettore detterà alcune frasi del dialogo. Scrivete le frasi dettate.*

1. ______________________________

2. ______________________________

3. ______________________________

4. ______________________________

5. ______________________________

6. ______________________________

7. ______________________________

8. ______________________________

9. ______________________________

10. ______________________________

II. *Date la forma corretta del complemento di termine.*

Esempi: (voi) A quanto pare, Luisa non ___*vi*___ scriverà.

(il dottore) Non è vero che ___*gli*___ ho detto quello.

1. (noi) Molti anni fa __________ parlarono di quel libro.
2. (la cameriera) __________ abbiamo spiegato quello che desideriamo.
3. (lui) E perché non __________ rispondete in italiano?
4. (loro) Umberto vuole portare __________ delle riviste.
5. (mio padre) __________ comprai una bella cravatta americana.
6. (tu) La maestra __________ insegnò molto bene.
7. (Rosetta) __________ diamo sempre la mano.
8. (io) Chi __________ ripete la domanda in inglese?
9. (Lei) Domani __________ telefonerò da Torino.
10. (Nino e Tina) Dove sono i rinfreschi che daremo __________?

CLASSE__________ DATA__________ NOME E COGNOME____________________

PARTE D

LEZIONE 13

PAROLE INCROCIATE - Sciogliete il seguente enigma:

Orizzontali: 1. Il passato remoto di "ripetono".

3. La parola italiana per "maid".

5. La negazione.

6. "Sono stato" ma molti anni fa.

8. Il futuro di "sorridesti".

(Orizzontali): 11. L'articolo determinativo (maschile).

12. Il futuro di "avemmo".

14. Il passato remoto di "ho".

<u>Verticali</u>:

1. Il verbo in italiano "to recognize".
2. L'edificio pendente che si trova a Pisa.
4. "Abiterò" ma molto tempo fa.
7. Il passato remoto di "ho trovato".
9. Il passato remoto di "ha avuto".
10. L'articolo determinativo (maschile).
13. In inglese è "but".

CLASSE__________ DATA__________ NOME E COGNOME______________________

PARTE A

LEZIONE 14

I. *Leggete e ascoltate il dialogo seguente.*

A un bar *Il «caffè» o il «bar» è una vera istituzione in Italia, ed è parte della vita giornaliera di quasi tutti gl'Italiani. Gl'Italiani vanno al bar o al caffè per appuntamenti, per affari, per incontrarsi con gli amici, per scrivere lettere, per studiare, per leggere il giornale, per prendere l'aperitivo, e naturalmente per prendere il caffè o l'espresso. D'inverno all'interno, d'estate all'aperto, il caffè o il bar è sempre a disposizione degl'Italiani. La signorina Pace è seduta a un tavolo di un bar, all'aperto, in Piazza della Repubblica. Passa Enzo Falchi, uno studente che la signorina Pace conosce e che conosce la signorina Pace. La vede, e s'avvicina al tavolo.*

SIG. FALCHI: Buon giorno, signorina, come sta?

SIG.NA PACE: Buon giorno, signor Falchi.

SIG. FALCHI: Le dispiace se mi siedo al Suo tavolo?

SIG.NA PACE: Le pare! Prego! S'accomodi!

SIG. FALCHI: Volentieri. (*a un cameriere che è lì vicino*) Cameriere, due granite di caffè, per favore.

CAMERIERE: Con la panna o senza?

SIG.NA PACE: Io la preferisco con la panna, ma non troppa.

SIG. FALCHI: E io senza panna. Anzi, no; io prendo un cappuccino. (*alla signorina Pace*) Mi ha detto Giovanni che Lei va a Venezia per qualche giorno. Quando parte?

SIG.NA PACE: Domani.

SIG. FALCHI: Di mattina o nel pomeriggio?

SIG.NA PACE: Di mattina. C'è un treno che parte alle otto e trenta.

SIG. FALCHI: È una buon'idea. I treni del pomeriggio arrivano tutti troppo tardi a Venezia.

SIG.NA PACE: Sì. Infatti c'è un treno che parte da Firenze alle sei di sera, o, come mi ha detto l'impiegato alla stazione, alle diciotto, e arriva a Venezia alle ventiquattro, cioè a mezzanotte.

CAMERIERE: (*con la granita e il cappuccino*): Chi ha ordinato la granita?

SIG.NA PACE: Io. Il signore ha ordinato il cappuccino.

SIG. FALCHI: Con chi va a Venezia, con la signorina Manin?

SIG.NA PACE: No, sola. A Venezia m'incontrerò con una signorina americana con cui ho viaggiato altre volte.

SIG. FALCHI: Scusi, signorina, non ho capito bene quello che ha detto... questo cappuccino è squisito.

SIG.NA PACE: Ho detto che a Venezia m'incontrerò con un'amica con la quale ho viaggiato altre volte.

SIG. FALCHI: Benissimo. Sono sicuro che si divertirà molto. Be', sono le cinque meno venti, e alle cinque meno un quarto devo vedere un amico in Piazza del Duomo. (*ad alta voce*) Cameriere, il conto per favore.

CAMERIERE: Ecco, signore.

SIG. FALCHI: Il servizio è compreso?

CAMERIERE: Sì, signore.

SIG. FALCHI: Bene. (*alla signorina Pace*) Allora, buon viaggio, signorina, e buon divertimento.

II. *Rispondete alle seguenti domande.*

1. Dov'è seduta la signorina Pace?
2. Chi passa lì vicino?
3. Che cosa ha ordinato la signorina Pace?
4. Quanto tempo resterà a Venezia la signorina Pace?
5. È vero che tutti i treni per Venezia partono di mattina?
6. La signorina Pace va a Venezia con la signorina Manin?
7. Chi chiama il cameriere per pagare il conto?
8. Il servizio è compreso?
9. Chi deve incontrare il signor Falchi?
10. Il "caffè" o il "bar" è parte della vita giornaliera di tutti gli Americani?

1. ______________________________

2. ______________________________

3. ______________________________

4. ______________________________

5. ______________________________

6. ______________________________

7. ______________________________

8. ______________________________

9. ______________________________

10. ______________________________

CLASSE__________ DATA__________ NOME E COGNOME____________________

PARTE B

LEZIONE 14

Scrivete le frasi seguenti facendo i cambiamenti indicati.

I. Esempi: Com'è bella quella casa!
Scusi, di chi è quella casa?
Come sono interessanti quei libri!
Scusi, di chi sono quei libri?

1. Com'è brutto quest'abito!
2. Come sono grandi questi bicchieri!
3. Come sono lunghe quelle cravatte!
4. Come sono piccole queste cartoline!
5. Com'è squisito questo vino bianco!

1. ____________________
2. ____________________
3. ____________________
4. ____________________
5. ____________________

II. Esempi: Ho scritto a quella signorina.
Quella è la signorina a cui ho scritto.
Lui parla di queste persone.
Queste sono le persone di cui lui parla.

1. Franco parla di quel signore.
2. Abitiamo in questa grande casa.
3. Studiamo l'italiano con questo maestro.
4. Parlerò di quella studentessa americana.
5. Scriverò una cartolina a quel ragazzo.

1. ____________________
2. ____________________
3. ____________________
4. ____________________
5. ____________________

III. Esempi: Quei ragazzi parlano e non studiano.
Chi parla, non studia.
Giuseppe mangia molto, e poi dorme.
Chi mangia molto, poi dorme.

1. Gina studia molto e impara presto.
2. Luisa ordina, e poi paga.
3. Loro non capiscono l'italiano, e non passeranno il corso.
4. L'impiegato legge e non parla.
5. Gl'invitati assaggiano il vino e lo trovano eccellente.

1. ____________________

2. ____________________

3. ____________________

4. ____________________

5. ____________________

IV. Esempi: Deve Lei prendere il treno alla stazione centrale?
Sì, devo prendere il treno alla stazione centrale.
Devono Loro studiare molto in biblioteca?
Sì, dobbiamo studiare molto in biblioteca.

1. Devi andare a casa alle sette di sera?
2. Dovete voi ritornare fra poco?
3. Deve Lei scrivere molto in classe?
4. Devono Loro viaggiare in autobus?
5. Deve Alfredo partire alle otto e trenta?

1. ____________________

2. ____________________

3. ____________________

4. ____________________

5. ____________________

CLASSE__________ DATA__________ NOME E COGNOME ______________________

PARTE C

LEZIONE 14

I. *Il lettore detterà alcune frasi del dialogo. Scrivete le frasi dettate.*

1. ______________________________

2. ______________________________

3. ______________________________

4. ______________________________

5. ______________________________

6. ______________________________

7. ______________________________

8. ______________________________

9. ______________________________

10. ______________________________

II. *Usando gli esempi come guida, rispondete alle seguenti domande.*

Esempi: Che ora è? (2 p.m.)
Sono le due del pomeriggio.
A che ora va Lei? (noon)
Vado a mezzogiorno.

1. Che ora è? (4:15 a.m.)

____

2. A che ora parti? (9:30 p.m.)

____

3. Che ore sono? (11:50 a.m.)

____

4. A che ora tornate? (midnight)

____

5. Che ora è? (1:20 p.m.)

____

6. A che ora arriva lui? (3:15 a.m.)

____

7. Che ore sono? (5:50 p.m.)

____

8. A che ora vanno Loro? (7:30 a.m.)

____

9. Che ora è? (8:40 p.m.)

____

10. A che ora va a dormire Lei? (10:45 p.m.)

____

CLASSE__________ DATA__________ NOME E COGNOME______________________

PARTE D

LEZIONE 14

Usando le illustrazioni e gli esempi come guida, rispondete alle seguenti domande; date sempre l'ora esatta.

Esempi:

A che ora ha visitato il Ponte Vecchio?

Ho visitato il Ponte Vecchio alle due del pomeriggio.

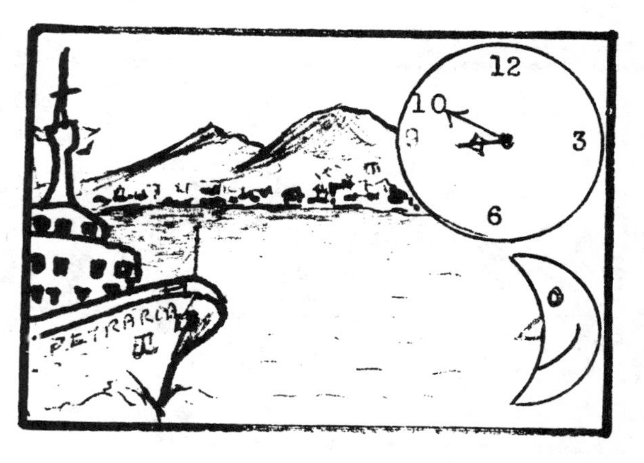

Arriverà tua madre a Napoli di mattina?

No. Mia madre arriverà a Napoli alle nove meno dieci di sera.

1. Ecco il teatro! A che ora incomincia?

____

____

2. A che ora visiterete il Duomo di Milano?

____

____

3.

A che ora visiterà Lei la Torre di Giotto?

____

____

4.

A che ora siamo arrivati a Venezia?

____

____

5.

Comprerai la nuova automobile nel pomeriggio?

____

____

6.

Ecco il treno! Che ore sono?

____

____

CLASSE____________ DATA____________ NOME E COGNOME______________________________

7.

Ha Lei ascoltato la musica a mezzogiorno?

____

____

8.

Sua zia è partita a mezzanotte?

____

____

9.

A che ora è ritornato lui a Roma?

____

____

10.

A che ora dobbiamo incontrarci a Pompei?

____

____

CLASSE__________ DATA__________ NOME E COGNOME______________________

PARTE A

LEZIONE 15

I. *Leggete e ascoltate il dialogo seguente.*

Barbara è partita

Bạrbara e Anna scẹndono da un tassì davanti alla stazione ferroviạria. Anna è venuta alla stazione ad accompagnare Bạrbara che parte per Venẹzia.

BẠRBARA: Dobbiamo andare sụbito a fare il biglietto perché il treno parte fra cịnque minuti.

ANNA: Viaggi in prima o in seconda classe?

BẠRBARA: Scherzi? In seconda, perché sfortunatamente la terza non c'è più! (*All'impiegato allo sportello della biglietteria.*) Un biglietto di seconda per Venẹzia.... (*Ad Anna*) Io corro perché il treno sta per partire. Arrivederci, a presto.

ANNA: Arrivederci, buọn viạggio.

Anna esce dalla stazione e va al centro della città. Davanti all'uffịcio della CIT incontra Maria Bianchi, una signorina che ha conosciuta alla Biblioteca Nazionale.

MARIA: Ciao, Anna!

ANNA: Ciao, Maria! È molto tempo che non ci vediamo.

MARIA: È vero. Non esco molto spesso e vengo in città raramente... ma tu, cosa fai da queste parti?

ANNA: Sono andata alla stazione ad accompagnare Bạrbara Pace.

MARIA: È partita? È ritornata in Amẹrica?

ANNA: No, no! È partita per Venẹzia. Là s'incontrerà con un'amica che viene dall'Inghilterra, da Londra.

MARIA: Ritornerà a Firenze?

ANNA: Certamente. Vuole continuare gli studi quị a Firenze; ma prima farà un viạggio in Frạncia con la sua amica. Ma vedo che esci dall'uffịcio della CIT; parti anche tu?

MARIA: Magari! Sono venuta a vedere un'amica che è impiegata alla CIT. Tu come ti trovi a Firenze? Sono già tre mesi che sei quị, non è vero?

ANNA: Sì, non sembra possịbile. Il tempo vola, forse perché la vita è così bella in Itạlia.

MARIA: Be', auguri, e se puoi venire a casa mia un giorno, usciremo insieme se vuoi.

ANNA: Volentieri. Lo farò. Arrivederci, Maria.

MARIA: Ciao, Anna!

II. *Rispondete alle seguenti domande.*

1. Dove scendono dal tassì Barbara e Anna?
2. Perché Barbara deve fare subito il biglietto?
3. In che classe viaggia Barbara?
4. Perché corre Barbara?
5. Dove va Anna quando esce dalla stazione?
6. Chi è venuto in città?
7. Dove s'incontranno Maria e Anna?
8. Si vedono spesso Anna e Maria?
9. Dove dice che è stata Anna a Maria?
10. Ritornerà subito a Firenze da Venezia Barbara?

1. ______________________________

2. ______________________________

3. ______________________________

4. ______________________________

5. ______________________________

6. ______________________________

7. ______________________________

8. ______________________________

9. ______________________________

10. ______________________________

CLASSE__________ DATA________ NOME E COGNOME______________________

PARTE B

LEZIONE 15

Rispondete alle seguenti domande, usando gli esempi come guida.

I. Esempi: Quanti mesi sono che non ci visitiamo.
Sono due mesi che non ci visitiamo.
Quanti anni sono che non ci vediamo?
Sono due anni che non ci vediamo.

1. Quanti giorni sono che non ci telefoniamo?
2. Quanti anni sono che non ci scriviamo?
3. Quante settimane sono che non ci vediamo?
4. Quante ore sono che non ci parliamo?
5. Quanti mesi sono che non ci divertiamo?

1. ______________________________
2. ______________________________
3. ______________________________
4. ______________________________
5. ______________________________

II. Esempi: Vuole Lei continuare la lezione?
Sì, voglio continuare la lezione.
Vogliono Loro accompagnare la signora?
Sì, vogliamo accompagnare la signora.

1. Volete andare in Italia?
2. Vuoi vedere l'Europa?
3. Vuole lui ordinare il pranzo?
4. Vuole Lei partire per l'Australia?
5. Vogliono Loro invitare le ragazze?

1. ______________________________
2. ______________________________
3. ______________________________
4. ______________________________
5. ______________________________

III. Esempi: Esce Lei a mezzogiorno?
No, non esco mai a mezzogiorno.
Uscite voi alle otto di sera?
No, non usciamo mai alle otto di sera.

1. Escono Loro a mezzanotte?
2. Esce la signorina alle dieci di sera?
3. Esci tu alle cinque e mezzo di mattina?
4. Esce lui nel pomeriggio?
5. Escono loro insieme?

1. ______

2. ______

3. ______

4. ______

5. ______

IV. Esempi: Perché non vai a casa ora?
Non posso andare a casa ora.
Perché non camminate presto?
Non possiamo camminare presto.

1. Perché non scrive Lei in italiano?
2. Perché non fanno loro un viaggio in Europa?
3. Perché non capisce lui tutto l'esame?
4. Perché non andate in città?
5. Perché non studia Anna?

1. ______

2. ______

3. ______

4. ______

5. ______

CLASSE__________ DATA__________ NOME E COGNOME______________________

PARTE C

LEZIONE 15

I. *Il lettore detterà alcune frasi del dialogo. Scrivete le frasi dettate.*

1. ______________________________

2. ______________________________

3. ______________________________

4. ______________________________

5. ______________________________

6. ______________________________

7. ______________________________

8. ______________________________

9. ______________________________

10. ______________________________

II. *Date la forma corretta del verbo al presente indicativo.*

Esempi: (potere) Quando ___*puoi*___ tu venire in Italia?

(uscire) Noi non ___*usciamo*___ prima delle dieci.

1. (potere) Voi non ________________ capire niente.

2. (volere) Che cosa è che ________________ tu oggi?

3. (uscire) A che ora ________________ Lei dall'ufficio?

4. (potere) Io ________________ certamente studiare in biblioteca.

5. (volere) Loro non ________________ fare un viaggio quest'anno.

6. (uscire) Ora io ________________ e vado in città.

7. (potere) Forse lui non ________________ parlare chiaramente.

8. (volere) Prima di tutto, noi ________________ della minestra.

9. (uscire) Raramente ________________ loro dopo le undici.

10. (potere) ________________ noi abitare da queste parti?

CLASSE __________ DATA __________ NOME E COGNOME ____________________

PARTE D

LEZIONE 15

Usando le illustrazioni e gli esempi come guida, completate le seguenti frasi.

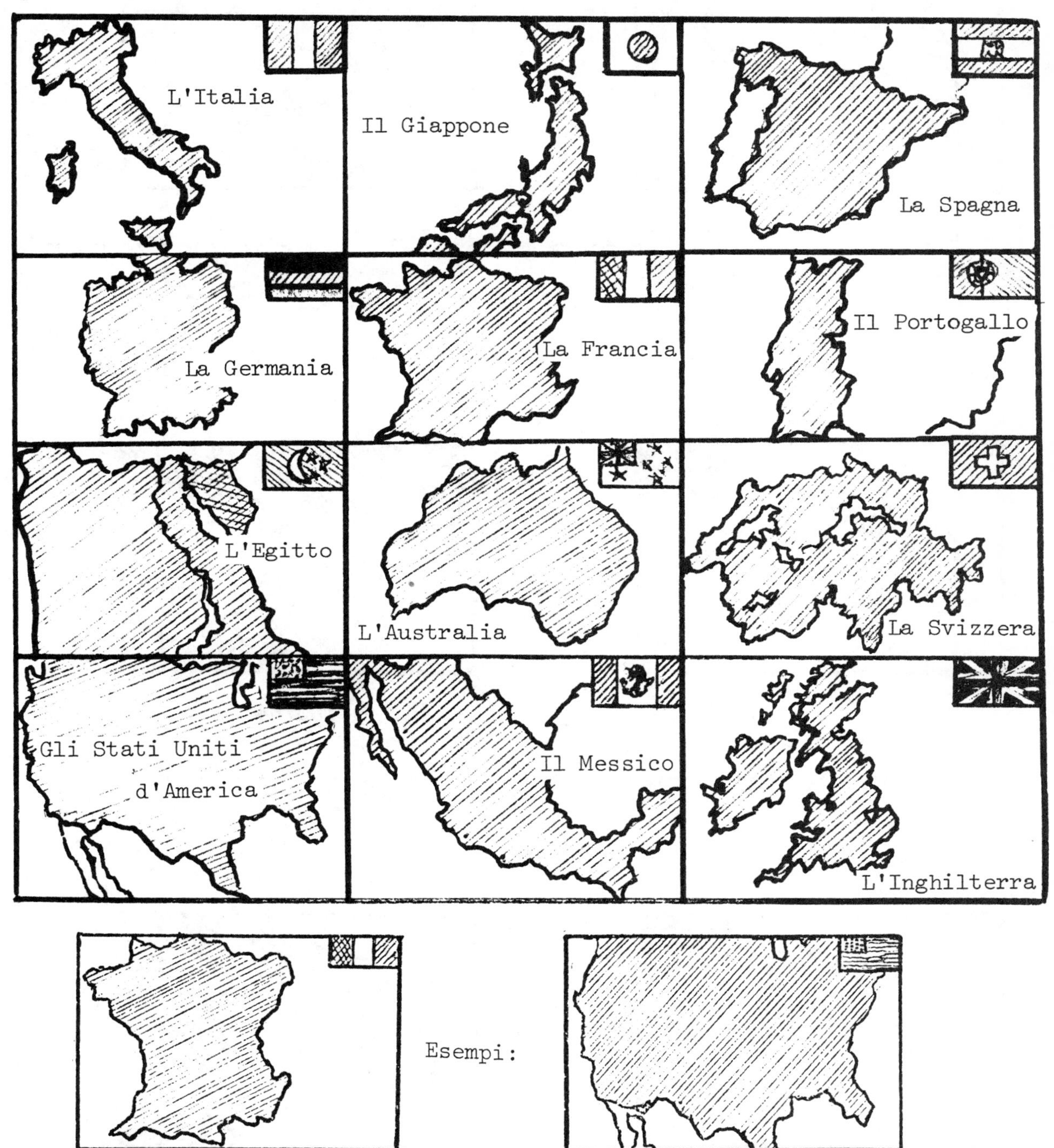

Esempi:

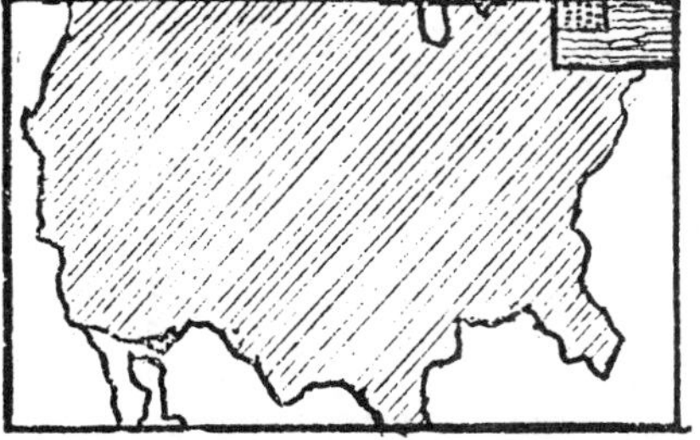

Jacqueline vuole andare (to)

in Francia.

Maria studia (in)

negli Stati Uniti d'America.

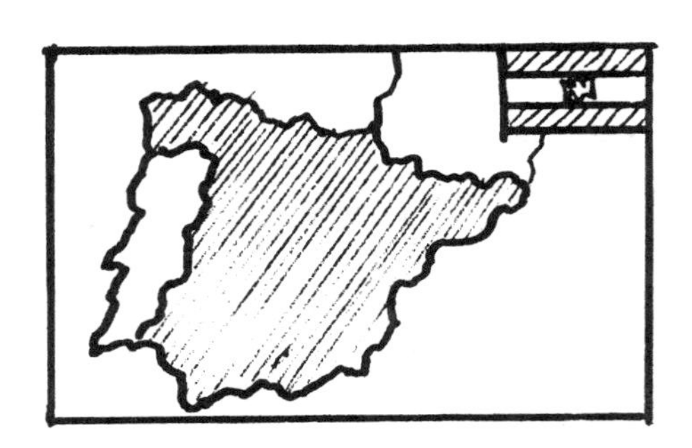

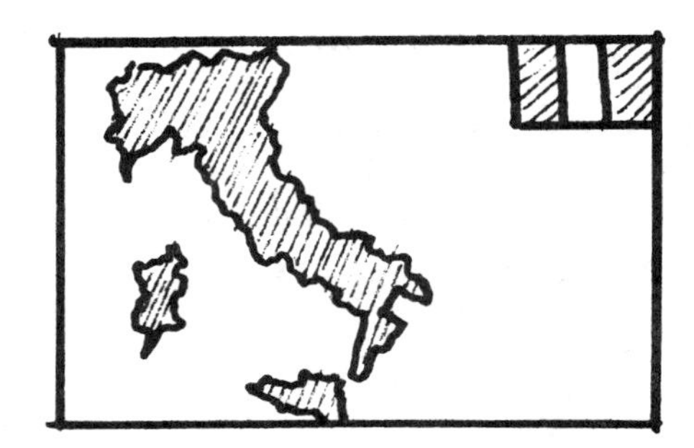

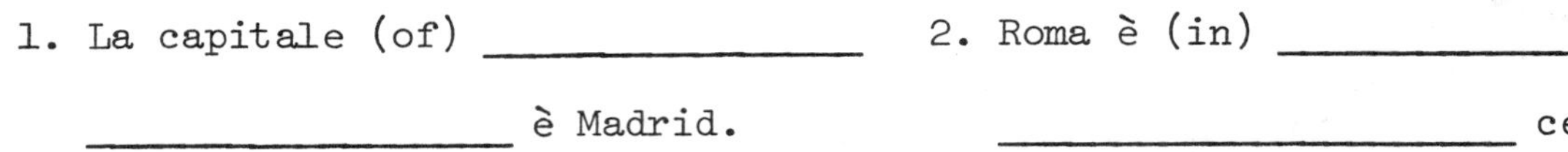

1. La capitale (of) ________________ __________________ è Madrid.

2. Roma è (in) ____________________ ______________________ centrale.

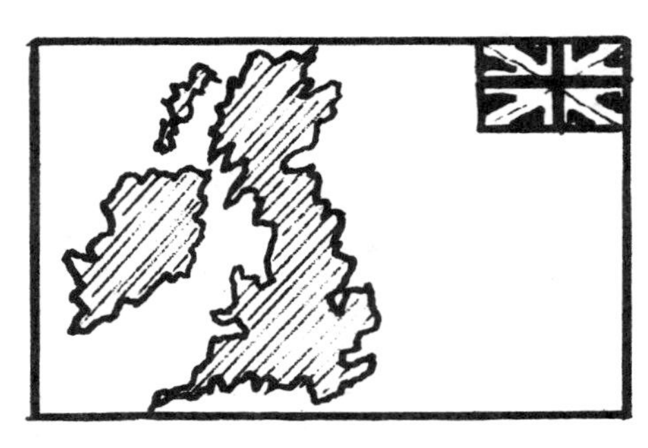

3. La maestra è venuta (from) ______ _________________________________

4. Desidero ritornare (to) _________ _________________________________

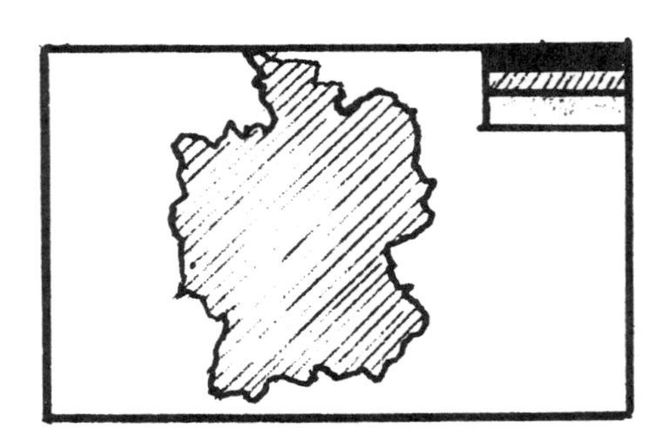

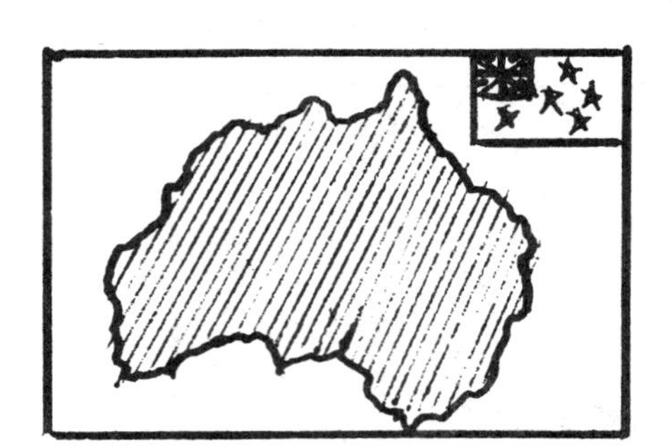

5. Riceve molte lettere (from) _____ _________________________________

6. Molti italiani abitano (in) _____ _________________________________

CLASSE_____________ DATA_____________ NOME E COGNOME___________________________

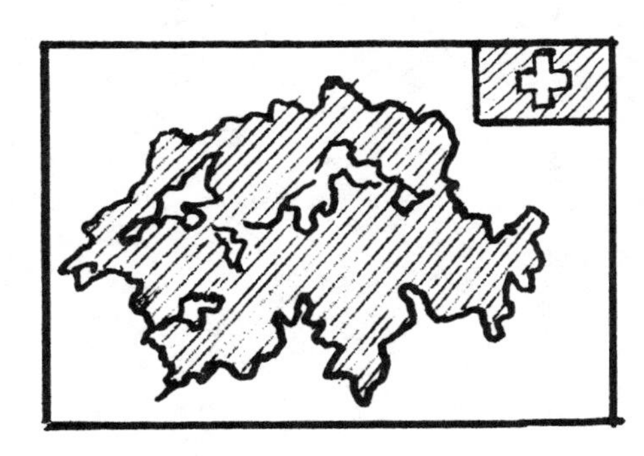

7. Vedo i laghi (of) _______________

____

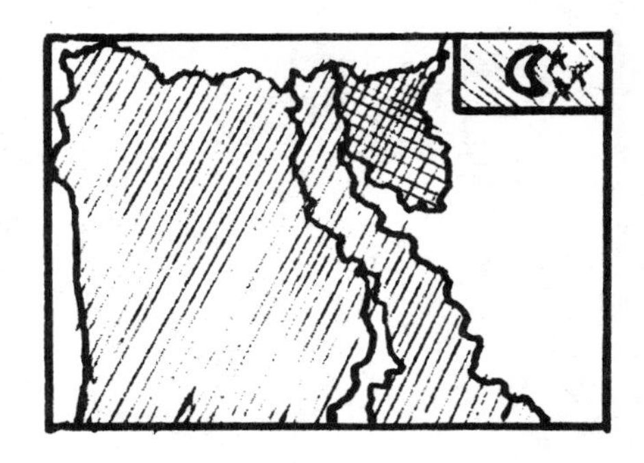

8. Suo cugino è (in) _______________

____

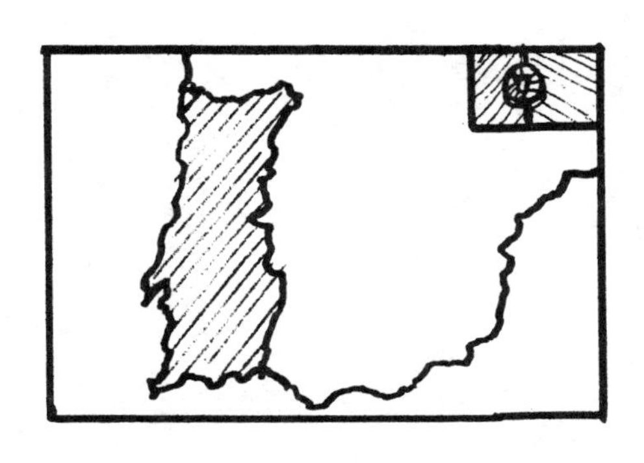

9. _________________________________

è in Europa.

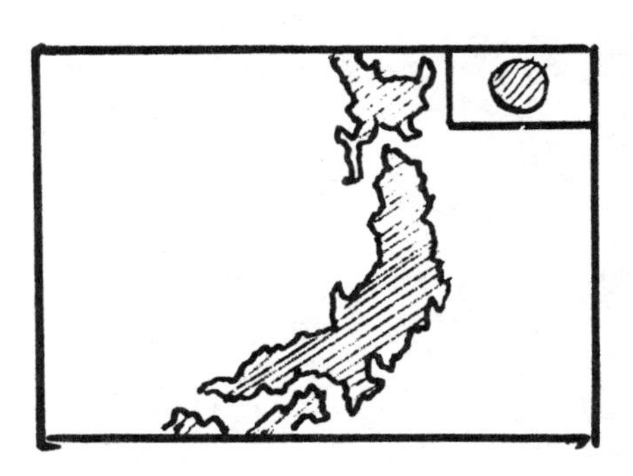

10. Il signor Tada è (from) __________

____

CLASSE__________ DATA__________ NOME E COGNOME__________________

PARTE A

LEZIONE 16

I. *Leggete e ascoltate il dialogo seguente.*

Una lettera da Venezia *Giovanni è nella sua stanza a casa sua. Ha ricevuto una lettera da Venezia. È di Barbara Pace. Giovanni apre la busta e legge.*

Venezia, 10 aprile

Caro Giovanni,

volevo scrivere ieri l'altro ma non ho potuto perché ero troppo occupata. Quando arrivai a Venezia erano già le due, perché il treno era in ritardo. Alla stazione m'aspettava la mia amica Edith. Quando eravamo bambine io e Edith andavamo alla stessa scuola. Edith allora abitava con sua zia perché i suoi genitori erano in Europa. Poi anche lei andò in Europa e non l'ho riveduta fino a qualche mese fa.

Andammo subito all'albergo, in gondola. Era un pomeriggio magnifico, e il sole splendeva sul Canal Grande; era uno spettacolo incantevole ché ricorderò sempre. Dopo cena, mentre camminavamo in Piazza San Marco, incontrammo delle amiche di Edith che andavano al Lido. C'invitarono. Veramente io ero stanca e volevo ritornare all'albergo, ma andai al Lido lo stesso.

Il giorno dopo visitammo la chiesa di San Marco e il Palazzo dei Dogi. I mosaici di San Marco sono proprio meravigliosi. Era una bella giornata e sembrava estate. Ieri siamo andate all'isola di Murano così famosa per le vetrerie e oggi ho passato quasi tutta la giornata a fare delle spese. Domani partirò per Trieste; voleva venire anche Edith ma oggi ha ricevuto una lettera da una signora che conosceva in America e che arriverà a Venezia fra due giorni. Peccato!

Cosa c'è di nuovo a Firenze? Se mi scrive, il mio indirizzo a Trieste sarà: presso Baldini, Via San Giusto 25.

Saluti cordiali, Sua

Barbara

II. *Rispondete alle seguenti domande.*

1. A che ora arrivò a Venezia la signorina Pace?
2. Chi l'aspettava alla stazione?
3. Come andarono all'albergo?
4. Era bello il Canal Grande?
5. Chi incontrarono le due ragazze quella sera in Piazza San Marco?
6. Che cosa visitò Barbara Pace il giorno dopo?
7. Perché Edith non poteva accompagnare Barbara a Trieste?
8. Quale sarà l'indirizzo di Barbara a Trieste?
9. Perché Giovanni aspettava una lettera da Barbara?
10. Per cosa è famosa l'isola di Murano?

1. ______________________________

2. ______________________________

3. ______________________________

4. ______________________________

5. ______________________________

6. ______________________________

7. ______________________________

8. ______________________________

9. ______________________________

10. ______________________________

CLASSE__________ DATA_________ NOME E COGNOME________________________

PARTE B

LEZIONE 16

Rispondete alle seguenti domande, usando gli esempi come guida.

I. Esempi: Quando era giovane si divertiva molto?
Sì, quando ero giovane mi divertivo molto.
Quando eravate bambini vi alzavate presto?
Sì, quando eravamo bambini ci alzavamo presto.

1. Quando eri ragazzo andavi a scuola solo?
2. Quando Loro erano cattivi potevano andare al cinema?
3. Quando eravate piccoli volevate viaggare spesso?
4. Quando era una brutta giornata restavano Loro a casa?
5. Quando era un pomeriggio magnifico, andava Lei a fare delle spese?

1. ____
2. ____
3. ____
4. ____
5. ____

II. Esempi: Mangiavi tu quando mi hai veduto?
No, non mangiavo quando ti ho veduto.
Studiavate quando siamo arrivati?
No, non studiavamo quando siete arrivati.

1. Parlavi a tuo padre quando loro sono partiti?
2. Splendeva il sole quando Barbara è andata in giardino?
3. Camminavi solo quando ti ho veduto?
4. Erano le otto quando Lei è arrivato a Trieste?
5. Ripetevate le stesse lezioni quando sono entrato in classe?

1. ____
2. ____
3. ____
4. ____
5. ____

Scrivete le seguenti frasi facendo i cambiamenti indicati.

III. Esempi: Sono andato al ristorante francese.
Andavo al ristorante francese quando ero a Roma.
I ragazzi si sono divertiti molto.
I ragazzi si divertivano molto quando erano a Roma.

1. Le lezioni sono state troppo difficili per Edith.
2. Sono ritornato subito all'albergo.
3. Il suo amico ha ricevuto molte lettere.
4. Mi sono lavato alle cinque di mattina.
5. Tu hai ordinato la granita di caffè.

1. ______________________________

2. ______________________________

3. ______________________________

4. ______________________________

5. ______________________________

IV. Esempi: Parlava di Venezia ed era così interessante.
Parlava interessantemente di Venezia.
Scrivevamo la lezione ed era così facile.
Scrivevamo facilmente la lezione.

1. Splendeva il sole ed era così magnifico.
2. Rispondevano sempre ed erano così gentili.
3. Luisa parlava della nostra università ed era così favorevole.
4. Voi spiegavate tutto ed era così chiaro.
5. Giovanni scriveva una lettera ed era così breve.

1. ______________________________

2. ______________________________

3. ______________________________

4. ______________________________

5. ______________________________

CLASSE__________ DATA________ NOME E COGNOME______________________

PARTE C

LEZIONE 16

I. *Il lettore detterà alcune frasi del dialogo. Scrivete le frasi dettate.*

1. ______________________________

2. ______________________________

3. ______________________________

4. ______________________________

5. ______________________________

6. ______________________________

7. ______________________________

8. ______________________________

9. ______________________________

10. ______________________________

II. *Date la forma corretta dell'imperfetto.*

Esempi: (essere) ___*Era*___ una brutta giornata.

(abitare) Dove ___*abitavano*___ Loro tre anni fa?

1. (vedere) La ______________ Lei spesso quando era a Capri.

2. (splendere) Tutti i giorni il sole ______________

3. (volere) Ma perché non ______________ tu studiare?

4. (volare) Il tempo ______________ quando ero in Italia.

5. (ricevere) Io ______________ sempre molte cartoline.

6. (divertirsi) Le bambine ______________ spesso con mia zia.

7. (scrivere) ______________ voi una lettera tutti i mesi?

8. (mangiare) A Roma noi ______________ sempre le fettuccine.

9. (aspettare) Le ragazze ______________ in gondola per Piera.

10. (capire) ______________ tu l'italiano quando eri piccolo?

CLASSE__________ DATA__________ NOME E COGNOME______________________

PARTE D

LEZIONE 16

Usando le illustrazioni e gli esempi come guida, leggete le seguenti frasi e poi scrivete la frase adatta sotto ogni illustrazione.

(a) Telefonavo a mia madre ogni giorno.
(b) Anna leggeva la lettera ad alta voce.
(c) Erano le otto meno cinque di sera.
(d) Gli abbiamo detto che lei era a Venezia.
(e) I due bambini avevano i capelli neri.
(f) Non capivo perché ripeteva le stesse parole.
(g) Di solito non lo capivo.
(h) Il sole splendeva sulla chiesa di San Marco.
(i) Quando lui era giovane dormiva molto.
(j) Dovevamo viaggiare sempre in autobus.
(k) Lui andava a Parigi ogni settimana.
(l) Alla stazione m'aspettava la mia amica.

Esempi:

(a) Telefonavo a mia madre ogni giorno.

(h) Il sole splendeva sulla chiesa di San Marco.

1. ______________________________

____

2. ______________________________

____

Paris,
je
t'aime!

3. ______________________________

____

4. ______________________________

____

Caro Carlo,
volevo scrivere
ieri l'altro ma
non ho potuto
perché ero
troppo...

5. ______________________________

____

6. ______________________________

____

7. ______________________________

____

8. ______________________________

____

X X !!
– + x
= a ?
Che cosa
dici ? ?
?

9. ______________________________

____

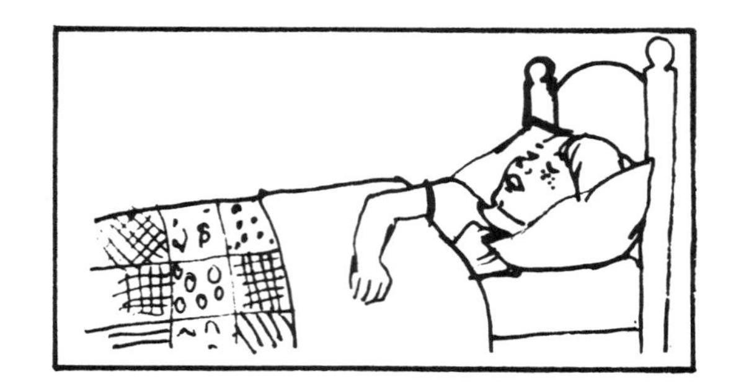

10. ______________________________

____

CLASSE____________ DATA__________ NOME E COGNOME______________________________

PARTE A

LEZIONE 17

I. *Leggete e ascoltate il dialogo seguente.*

Carta da lettere e libri

Sono le quattro del pomeriggio. Anna ha bisogno di carta da lettere e va in una cartoleria in Via Cavour. Entra e si avvicina a una commessa.

COMMESSA: Buona sera, signorina. Che cosa desidera?
ANNA: Ha della carta da lettere leggera per posta aerea?
COMMESSA: Sì. Abbiamo questa scatola di cento fogli e cinquanta buste. Va bene?
ANNA: I fogli sono un po' lunghi, ma non importa. E poi voglio due quaderni.
COMMESSA: Ecco dei quaderni magnifici. Li abbiamo ricevuti ieri.
ANNA: Sì, sono proprio magnifici. Appena ritornerò a casa non dimenticherò di scrivere subito il mio nome sulla copertina.
COMMESSA: Ha bisogno di qualche altra cosa?
ANNA: Sì. Ha una pianta della città?
COMMESSA: No, signorina. Deve chiedere in una libreria.
ANNA: Grazie. Quanto Le devo?
COMMESSA: Un momento; non ricordo il prezzo della carta da lettere....

La signorina Manin paga la commessa, esce dalla cartoleria e va in una libreria vicino a Piazza del Duomo, dov'è già stata altre volte. Arriva, apre la porta ed entra.

COMMESSO: Ah, buona sera, signorina Manin.
ANNA: Buona sera, signor Centrone. Stamani ho ricevuto una lunga lettera dalla signorina Pace. Manda tanti saluti a tutti gli amici e, naturalmente, anche a Lei.
SIG. CENTRONE: Grazie. Quando ritornerà?
ANNA: La settimana ventura. Signor Centrone, ha qualche catalogo di autori classici?
SIG. CENTRONE: I cataloghi sono su questo tavolo, signorina; e su quest'altro ci sono gli ultimi romanzi.

ANNA: Ah, ecco il catalogo di Mondadori; l'ho riconosciuto subito perché l'ho visto altre volte. Devo dire che molti cataloghi italiani sono magnifici. Incomincerò con questo. Posso?

Anna si siede e sfoglia due o tre cataloghi. Dopo circa venti minuti si alza, compra una pianta di Firenze e esce.

II. *Rispondete alle seguenti domande.*

1. Che ore sono quando Anna va in una cartoleria?
2. Di che cosa ha bisogno?
3. Deve essere leggera la carta per la posta aerea?
4. Che cosa vuole fare Anna appena ritornerà a casa?
5. Ha bisogno di qualche altra cosa Anna?
6. Dove deve andare per comprare una pianta della città?
7. Che cosa non ricorda la commessa?
8. Dove va Anna quando esce dalla cartoleria?
9. Che cosa cerca nella libreria?
10. Sono sullo stesso tavolo i cataloghi e i romanzi?

1. ____________________

2. ____________________

3. ____________________

4. ____________________

5. ____________________

6. ____________________

7. ____________________

8. ____________________

9. ____________________

10. ____________________

CLASSE__________ DATA_________ NOME E COGNOME________________________

PARTE B

LEZIONE 17

Rispondete alle seguenti domande, usando gli esempi come guida.

I. Esempi: Ha visitato una biblioteca a Firenze Lei?
Appena possibile, visiterò tutte le biblioteche a Firenze.
Hanno Loro dimenticato la bugia del bambino?
Appena possibile, dimenticheremo tutte le bugie del bambino.

1. Hai comprato il vino bianco?
2. Hanno venduto la vecchia valigia?
3. Hai mangiato l'arancia siciliana?
4. Avete invitato il giovane medico?
5. Ha Lei portato il rinfresco per gl'invitati?

1. ______________________________
2. ______________________________
3. ______________________________
4. ______________________________
5. ______________________________

II. Esempi: Quando vuole Lei pagare questi cataloghi?
Li pagherò la settimana ventura.
Quando vogliono Loro mangiare le bistecche?
Le mangeremo la settimana ventura.

1. Quando vuoi incominciare la lezione?
2. Quando vuole Lei dimenticare la mia bugia?
3. Quando vogliono Loro spiegare questi verbi?
4. Quando vuoi mangiare il vitello arrosto?
5. Quando volete pagare la carta da lettere?

1. ______________________________
2. ______________________________
3. ______________________________
4. ______________________________
5. ______________________________

Scrivete le seguenti frasi facendo i cambiamenti indicati.

III. Esempi: Non devi ripetere la bugia.
<u>Non devi ripetere le bugie.</u>
Desidero assaggiare l'arancia.
<u>Desidero assaggiare le arance.</u>

1. Abbiamo ricevuto il pacco proprio oggi.
2. Mi ha parlato del chirurgo.
3. Non desidero conoscere il nemico.
4. Devo andare alla farmacia.
5. L'amico di Giovanni è veramente simpatico.

1. ______________________________

2. ______________________________

3. ______________________________

4. ______________________________

5. ______________________________

IV. Esempi: Luisa ringrazierà per il pesce fresco.
<u>Luisa ringrazierà per i pesci freschi.</u>
Abbiamo visitato il lago largo.
<u>Abbiamo visitato i laghi larghi.</u>

1. Franco non ha mai assaggiato il vino greco.
2. Dalla finestra vedo il giardino pubblico.
3. Riconoscerete questo catalogo classico.
4. Ho dimenticato di comprare il vino bianco.
5. Imparerò a memoria il lungo dialogo.

1. ______________________________

2. ______________________________

3. ______________________________

4. ______________________________

5. ______________________________

CLASSE____________ DATA__________ NOME E COGNOME____________________________

PARTE C

LEZIONE 17

I. *Il lettore detterà alcune frasi del dialogo. Scrivete le frasi dettate.*

1. ____

2. ____

3. ____

4. ____

5. ____

6. ____

7. ____

8. ____

9. ____

10. ____

II. *Date la forma corretta dei nomi e degli aggettivi usando gli esempi come guida.*

Esempi: (la nuova farmacia) Ho visitato tutte *le nuove farmacie.*

(la cravatta grigia) Dove sono *le cravatte grige* ?

1. (la lunga lettera) Mi scriveva molte ____________

2. (il catalogo classico) Comprarono tre ____________

3. (il lago italiano) Come sono belli ____________!

4. (la basilica antica) Dove sono ____________?

5. (il parco pubblico) Questi non sono ____________

6. (il pesce fresco) Desidero comprare dei ____________

7. (l'arancia californiana) Sono squisite ____________

8. (la vecchia valigia) Non vogliono queste ____________

9. (il rinfresco magnifico) Grazie pei ____________

10. (amico o nemico) Ma siete ____________?

CLASSE__________ DATA__________ NOME E COGNOME______________________

PARTE D

LEZIONE 17

Usando le illustrazioni e gli esempi come guida, scrivete il singolare e il plurale dei nomi e degli aggettivi indicati.

(a) La valigia grigia.
(b) Le valige grige.

(a) Il bravo meccanico.
(b) I bravi meccanici.

Io sono un giovane ragazzo!
(brutto)
1.
(a)
(b)
(ricco)
2.
(a)
(b)
(largo)
3.
(a)
(b)
(nuovo)
4.
(a)
(b)
(lungo)
5.
(a)
(b)
(di pini)
6.
(a)
(b)
(magnifico)
7.
(a)
(b)
(famoso)
8.
(a)
(b)
(bianco)
9.
(a)
(b)
(fresco)
10.
(a)
(b)

CLASSE__________ DATA_________ NOME E COGNOME_________________

PARTE A

LEZIONE 18

I. *Leggete e ascoltate il dialogo seguente.*

Agli Uffizi

«Signorina, La vogliono al telefono,» dice la cameriera alla signorina Manin che è in salotto dove scrive delle lettere.

«Vengo subito, grazie,» le risponde la signorina Manin. «Finisco l'indirizzo su questa busta e vengo. È la terza lettera che scrivo oggi, e per ora basta!»

S'alza e va in sala da pranzo al telefono.

ANNA: Pronto! Chi parla?

MARIA: Pronto! Anna? Come va? Sono Maria.

ANNA: Oh, Maria, che bella sorpresa. Io sto bene; e tu come stai?

MARIA: Bene, bene. Cosa fai stamani? Sei occupata? Io oggi vado agli Uffizi, vuoi venire con me?

ANNA: Oh, volentieri, ma aspettavo un'amica, Luisa Neroni...

MARIA: La conosco. Siamo vecchie amiche, perché non porti anche lei?

ANNA: Bene, porterò anche lei. A che ora c'incontriamo?

MARIA: Verso le due e mezzo o le tre, sotto i portici degli Uffizi.

ANNA: Benissimo, ciao!

MARIA: Ciao!

Sono ora quasi le tre e Anna e Luisa cercano Maria sotto i portici degli Uffizi che sono affollati. Luisa spiega ad Anna perché c'è tanta gente e perché ci sono tanti fiori e tante piante sotto i portici.

LUISA: Questo è il mercato dei fiori, una vecchia usanza fiorentina; c'è ogni settimana, il giovedì, all'aperto sotto i portici degli Uffizi.

ANNA: È uno spettacolo magnifico; quante piante e quanti fiori: garofani, rose, violette...

MARIA: (*Le vede*) Finalmente! È un quarto d'ora che vi cerco.

LUISA: Maria, ciao!

ANNA: Maria, ciao!

MARIA: Perché non ci avviamo verso il museo? C'è troppa gente qui.

ANNA: È vero.

MARIA: Naturalmente agli Uffizi non è possibile vedere tutto in un pomeriggio. Che cosa preferisci vedere?

ANNA: *La Primavera* di Botticelli e il *Davide* di Michelangelo.

LUISA: *La Primavera*, sì, ma non il *Davide* perché è all'Accademia di Belle Arti.

ANNA: Non lo sapevo. Sarà per un'altra volta.

MARIA: Hai notizie di Barbara?

ANNA: Ho ricevuto una lunga lettera stamani. È la quinta lettera che ricevo da lei. Ritornerà mercoledì.

Mentre le ragazze parlano sono arrivate all'entrata degli Uffizi ed entrano.

II. *Rispondete alle seguenti domande.*

1. Dov'è e che cosa fa la signorina Manin?
2. Perché Anna non risponde subito al telefono?
3. Dov'è il mercato dei fiori?
4. Che cosa sono Gli Uffizi?
5. Chi telefona alla signorina Manin?
6. Quante lettere ha ricevuto Anna da Barbara?
7. Quando ritornerà Barbara?
8. C'è un altro museo a Firenze?
9. Quanto tempo restano le ragazze agli Uffizi?
10. C'è molta gente nei portici quando Maria arriva?

1. ____________________
2. ____________________
3. ____________________
4. ____________________
5. ____________________
6. ____________________
7. ____________________
8. ____________________
9. ____________________
10. ____________________

CLASSE__________ DATA__________ NOME E COGNOME______________________

PARTE B

LEZIONE 18

Rispondete alle seguenti domande, usando gli esempi come guida.

I. Esempi: Hanno scritto loro la lettera per te?
Sì, loro hanno scritto la lettera per me.
Giulio si avviava verso la piazza con Loro?
Sì, Giulio si avviava verso la piazza con noi.

1. Va lei spesso al mercato dei fiori con te?
2. Parlavamo di voi?
3. Giorgio ha comprato questi garofani per Lei?
4. Il vostro amico pranza sempre con voi?
5. Sua zia è andata agli Uffizi con Lei?

1. ______________________________
2. ______________________________
3. ______________________________
4. ______________________________
5. ______________________________

II. Esempi: Vuoi andare al cinema con me?
No, non voglio andare al cinema con te.
Avete preparato il caffè specialmente per noi?
No, non abbiamo preparato il caffè specialmente per voi.

1. Tua madre parla spesso di me?
2. Questa sorpresa è per Loro?
3. È la seconda volta che ripeti questo per me?
4. Voleva Lei fare il giro con noi?
5. Avete voi molti nemici fra noi?

1. ______________________________
2. ______________________________
3. ______________________________
4. ______________________________
5. ______________________________

Scrivete le seguenti frasi facendo i cambiamenti indicati.

III. Esempi: Questa è la prima lettera che scrivo in italiano.
Questa è la seconda lettera che scrivo in italiano.
Domani sarà il terzo giorno della settimana.
Domani sarà il quarto giorno della settimana.

1. Lei leggerà il quarto romanzo.
2. Oggi è il primo lunedì del mese.
3. La domenica è il sesto giorno della settimana.
4. Quello sarà il nono dialogo che leggo in italiano.
5. È la seconda volta che Piera visita questo museo.

1. ______
2. ______
3. ______
4. ______
5. ______

IV. Esempi: Il sabato non andiamo mai a scuola.
La domenica non andiamo mai a scuola.
Il lunedì mio padre mi telefona.
Il martedì mio padre mi telefona.

1. Il giovedì loro non mangiano mai la carne.
2. La domenica non desidero studiare.
3. Andiamo a casa il venerdì.
4. Gli studenti ritornano a scuola il martedì.
5. Eccetto il sabato, lui studia sempre.

1. ______
2. ______
3. ______
4. ______
5. ______

CLASSE__________ DATA_________ NOME E COGNOME________________________

PARTE C

LEZIONE 18

I. *Il lettore detterà alcune frasi del dialogo. Scrivete le frasi dettate.*

1. ______________________________

2. ______________________________

3. ______________________________

4. ______________________________

5. ______________________________

6. ______________________________

7. ______________________________

8. ______________________________

9. ______________________________

10. ______________________________

II. *Date la forma corretta del pronome complementare.*

Esempi: (with her) Giovanni vuole andare al teatro *con lei.*

(among us) Quello che ti ho detto è *fra noi.*

1. (by themselves) I ragazzi lo fanno ______________________________

2. (for you/*tu*) Queste rose sono ______________________________

3. (with me) Chi vuole andare all'aperto ______________________?

4. (by herself) Luisa scrive la lettera ______________________________

5. (for me) Che bella sorpresa ______________________________!

6. (of us) Ascoltiamo perché parla ______________________________

7. (with them) Visiterò gli Uffizi ______________________________

8. (for us) Le violette non sono ______________________________

9. (by himself) Non lo può fare ______________________________

10. (without me) Gina è uscita ______________________________

CLASSE__________ DATA__________ NOME E COGNOME______________________

PARTE D

LEZIONE 18

Usando il calendario come guida, completate le frasi con il numero ordinale.

Esempi:

CALENDARIO - GENNAIO

1	Giovedì	8	Giovedì	15	Giovedì	22	Giovedì	29	Giovedì
2	Venerdì	9	Venerdì	16	Venerdì	23	Venerdì	30	Venerdì
3	Sabato	10	Sabato	17	Sabato	24	Sabato	31	Sabato
4	Domenica	11	Domenica	18	Domenica	25	Domenica		
5	Lunedì	12	Lunedì	19	Lunedì	26	Lunedì		
6	Martedì	13	Martedì	20	Martedì	27	Martedì		
7	Mercoledì	14	Mercoledì	21	Mercoledì	28	Mercoledì		

Sabato è *il decimo* giorno del mese.

Questa è *la terza* domenica del mese.

CALENDARIO - FEBBRAIO

1	Domenica	8	Domenica	15	Domenica	22	Domenica	29	Domenica
2	Lunedì	9	Lunedì	16	Lunedì	23	Lunedì		
3	Martedì	10	Martedì	17	Martedì	24	Martedì		
4	Mercoledì	11	Mercoledì	18	Mercoledì	25	Mercoledì		
5	Giovedì	12	Giovedì	19	Giovedì	26	Giovedì		
6	Venerdì	13	Venerdì	20	Venerdì	27	Venerdì		
7	Sabato	14	Sabato	21	Sabato	28	Sabato		

1. Lunedì è ______________________ giorno del mese.

2. Questo è ______________________ martedì del mese.

CALENDARIO - MARZO

1	Lunedì	8	Lunedì	15	Lunedì	22	Lunedì	29	Lunedì
2	Martedì	9	Martedì	16	Martedì	23	Martedì	30	Martedì
3	Mercoledì	10	Mercoledì	17	Mercoledì	24	Mercoledì	31	Mercoledì
4	Giovedì	11	Giovedì	18	Giovedì	25	Giovedì		
5	Venerdì	12	Venerdì	19	Venerdì	26	Venerdì		
6	Sabato	13	Sabato	20	Sabato	27	Sabato		
7	Domenica	14	Domenica	21	Domenica	28	Domenica		

3. Martedì è ______________________ giorno del mese.

4. Questo è ______________________ giovedì del mese.

CALENDARIO - APRILE									
1	Giovedì	**8**	**Giovedì**	15	Giovedì	22	Giovedì	29	Giovedì
2	Venerdì	9	Venerdì	16	Venerdì	23	Venerdì	**30**	**Venerdì**
3	Sabato	10	Sabato	17	Sabato	24	Sabato		
4	Domenica	11	Domenica	18	Domenica	25	Domenica		
5	Lunedì	12	Lunedì	19	Lunedì	26	Lunedì		
6	Martedì	13	Martedì	20	Martedì	27	Martedì		
7	Mercoledì	14	Mercoledì	21	Mercoledì	28	Mercoledì		

5. Giovedì è ______________________________ giorno del mese.

6. Questo è ______________________________ venerdì del mese.

CALENDARIO - MAGGIO									
1	Sabato	8	Sabato	15	Sabato	22	Sabato	29	Sabato
2	Domenica	9	Domenica	16	Domenica	23	Domenica	30	Domenica
3	Lunedì	10	Lunedì	**17**	**Lunedì**	24	Lunedì	31	Lunedì
4	Martedì	11	Martedì	18	Martedì	25	Martedì		
5	**Mercoledì**	12	Mercoledì	19	Mercoledì	26	Mercoledì		
6	Giovedì	13	Giovedì	20	Giovedì	27	Giovedì		
7	Venerdì	14	Venerdì	21	Venerdì	28	Venerdì		

7. Mercoledì è ______________________________ giorno del mese.

8. Questo è ______________________________ lunedì del mese.

CALENDARIO - GIUGNO									
1	Martedì	8	Martedì	15	Martedì	22	Martedì	29	Martedì
2	Mercoledì	9	Mercoledì	16	Mercoledì	**23**	**Mercoledì**	30	Mercoledì
3	Giovedì	10	Giovedì	17	Giovedì	24	Giovedì		
4	Venerdì	11	Venerdì	18	Venerdì	25	Venerdì		
5	Sabato	12	Sabato	19	Sabato	26	Sabato		
6	**Domenica**	13	Domenica	20	Domenica	27	Domenica		
7	Lunedì	14	Lunedì	21	Lunedì	28	Lunedì		

9. Domenica è ______________________________ giorno del mese.

10. Questo è ______________________________ mercoledì del mese.

CLASSE__________ DATA_________ NOME E COGNOME_________________________

PARTE A

LEZIONE 19

I. *Leggete e ascoltate il dialogo seguente.*

Ben tornata! *Ieri Giovanni ha ricevuto un telegramma da Parigi: «Parto stasera con il treno delle ventitré. Arriverò domani, domẹnica, alle diciassette. Bạrbara.» Oggi è domẹnica. Sono le quattro e quaranta del pomeriggio, e Giovanni va alla stazione a prẹndere Bạrbara. Quando arriva alla stazione il grande orolọgio segna le quattro e cinquanta. Alla stazione c'è molta gente: davanti alla biglietteria, nelle sale d'aspetto, dappertutto. Ci sono impiegati, facchini, persone che pạrtono, persone che arrịvano, valige e bagagli di tutte le spẹcie. Giovanni finalmente trova gli orari degli arrivi e delle partenze. Il treno di Bạrbara è in orạrio. Infatti, dopo pochi minuti il treno arriva e Giovanni, che vede Bạrbara fra la gente, la chiama ad alta voce: «Bạrbara, Bạrbara!»*

BẠRBARA: Oh, Giovanni, è venuto! Come sta?

GIOVANNI: Bene, grạzie. Ben tornata! Ha fatto buọn viạggio?

BẠRBARA: Sì, Sì. Da Parigi a Milano ho dormito quasi sempre. A Milano sono saliti degli artisti molto simpạtici, e mi sono divertita un mondo.

UN FACCHINO: Facchino, signore?

GIOVANNI: No. (*a Bạrbara*) La valịgia la porto io. Allora, si è divertita questi giorni?

BẠRBARA: Molto. Ho veduto molte belle città, e ho riveduto la mia vẹcchia amica.

GIOVANNI: A Venẹzia che cosa ha visto?

BẠRBARA: Ho visto Piazza San Marco, il Palazzo dei Dogi, il Ponte dei Sospiri... insomma, tante belle cose, ma non tutto. Volevo tanto vedere il Museo dell'Accadẹmia che è così importante per la stọria dell'arte vẹneta, ma non mi è stato possịbile. Sarà per un'altra volta. Un giorno ritornerò a Venẹzia e vedrò quello che non ho veduto questa volta. E Anna come sta?

GIOVANNI: Benịssimo, vedrà. Non è venuta alla stazione perché è andata a Siena con Enzo Falchi, che ha comprato una Fiat usata. Lo conosce, non è vero?

BẠRBARA: Sì, sì. L'ho veduto il giorno prima della mia partenza.

GIOVANNI: Deve avẹr comprato molte cose a Parigi, questa valịgia è pesante!

BẠRBARA: Perché non prendiamo un tassì?

GIOVANNI: E' una buon'idea; il postẹggio è quị vicino.

I due giọvani prẹndono un tassì e vanno alla pensione di Bạrbara.

II. *Rispondete alle seguenti domande.*

1. Che cosa ha ricevuto Giovanni?
2. Da dove ha mandato un telegramma Barbara?
3. Come viaggia da Parigi a Firenze Barbara?
4. Arriva la mattina dopo la partenza Barbara?
5. Ha veduto tutto Barbara a Venezia?
6. Le fu possibile vedere il Museo dell'Accademia?
7. Perché voleva vedere quel museo?
8. È venuta alla stazione Anna? Perché?
9. Chi ha conosciuto in treno Barbara?
10. Che ora segnava l'orologio della stazione?

1. ______________________________

2. ______________________________

3. ______________________________

4. ______________________________

5. ______________________________

6. ______________________________

7. ______________________________

8. ______________________________

9. ______________________________

10. ______________________________

CLASSE__________ DATA__________ NOME E COGNOME______________________

PARTE B

LEZIONE 19

Scrivete le frasi seguenti facendo i cambiamenti indicati.

I. Esempi: Quel violinista è veramente bravo.
Quei violinisti sono veramente bravi.
Il vecchio amico ha fatto buon viaggio
I vecchi amici hanno fatto buon viaggio.

1. Mi ha dato l'orario degli arrivi e delle partenze.
2. Il bagaglio arriverà stasera.
3. Oggi ho mandato il telegramma a Giorgio e Paola.
4. Desiderano visitare quella città.
5. Non hanno trovato il tassì.

1. ______________________________
2. ______________________________
3. ______________________________
4. ______________________________
5. ______________________________

II. Esempi: Ci ha parlato del re d'Italia.
Ci ha parlato dei re d'Italia.
Mario preferisce lo sport.
Mario preferisce gli sport.

1. L'artista è arrivata in orario.
2. In treno ha conosciuto lo zio di Enzo.
3. Non desiderano visitare quell'università.
4. In Italia c'è il caffè all'aperto.
5. Abbiamo invitato anche la moglie.

1. ______________________________
2. ______________________________
3. ______________________________
4. ______________________________
5. ______________________________

Rispondete alle seguenti domande usando gli esempi come guida.

III. Esempi: Ha veduto Lei la Fontana di Trevi a Roma?
La vidi molti anni fa.
Hanno veduto Loro il Palazzo dei Dogi a Venezia?
Lo vedemmo molti anni fa.

1. Avete veduto la Città Universitaria a Roma?
2. Hai veduto il Duomo di Milano?
3. Ha veduto Lei il Ponte dei Sospiri a Venezia?
4. Ha veduto Anna la Basilica di San Francesco ad Assisi?
5. Hanno veduto loro il Palazzo Vecchio a Firenze?

1. ____________________

2. ____________________

3. ____________________

4. ____________________

5. ____________________

IV. Esempi: Quando vuoi vedere il mio esame?
Lo vedrò la settimana ventura.
Quando volete vedere i film italiani?
Li vedremo la settimana ventura.

1. Quando vuole vedere Lei l'orario?
2. Quando vogliono vedere Loro lo spettacolo?
3. Quando vuoi vedere il Museo dell'Accademia?
4. Quando vuole vedere Pietro la Piazza della Signoria?
5. Quando vogliono vedere loro il Duomo di Siena?

1. ____________________

2. ____________________

3. ____________________

4. ____________________

5. ____________________

CLASSE__________ DATA________ NOME E COGNOME______________________

PARTE C

LEZIONE 19

I. *Il lettore detterà alcune frasi del dialogo. Scrivete le frasi dettate.*

1. ______________________________

2. ______________________________

3. ______________________________

4. ______________________________

5. ______________________________

6. ______________________________

7. ______________________________

8. ______________________________

9. ______________________________

10. ______________________________

II. *Date la forma corretta del plurale dei nomi e degli aggettivi usando gli esempi come guida.*

Esempi: (il vecchio catalogo) Dove sono ___*i vecchi cataloghi*___?

(lo sport inglese) Preferisco ___*gli sport inglesi.*___

1. (l'università americana) Ci sono molte ______________

2. (il poeta fiorentino) Oggi studiamo ______________

3. (Suo figlio) Sono veramente bravi ______________

4. (la violinista francese) Stasera presenteranno ______________

5. (la stessa crisi) Anni fa vidi ______________

6. (il nuovo bagaglio) ______________ non arriveranno.

7. (il tè cinese) Sono eccellenti ______________

8. (il cattivo re) Quelli erano ______________

9. (il lungo telegramma) Di chi sono questi ______________?

10. (la moglie americana) ______________ sono simpatiche.

CLASSE__________ DATA__________ NOME E COGNOME____________________

PARTE D

LEZIONE 19

PAROLE INCROCIATE - Sciogliete il seguente enigma:

		1.		2.			3.	4.
5.							6.	
7.	8.		9.			10.		11.
12.						13.		
			14.					
15.					16.		17.	
						18.		
19.								

Orizzontali:

2. Figlio e figlia.
5. In inglese è "crisis".
6. La preposizione "a" con l'articolo maschile.
7. Il passato remoto di "vedremo".
12. Un'altra parola per "e".
13. L'aggettivo possessivo.
14. Molti anni ________.

(Orizzontali): 15. Sono dei bei fiori.

16. La parola che segue è "d'aspetto".

18. Il presente indicativo di "andavi".

19. La parola italiana per "in short".

Verticali:

1. Un'altra parola per "là".
2. Andiamo al cinema per vedere un __________.
3. l'articolo determinativo per "serie".
4. L'articolo determinativo per "telegramma".
7. Il futuro di "vedesti".
8. Completate: "Apre la porta ________ entra".
9. La sesta lettera dell'alfabeto.
10. Il numero ordinale di otto (femminile).
11. Il futuro di "eri".
17. L'articolo determinativo per "moglie".

CLASSE__________ DATA__________ NOME E COGNOME______________________

PARTE A

LEZIONE 20

I. *Leggete e ascoltate il dialogo seguente.*

Una corsa a Pisa

GIOVANNI: Allora, siamo pronti? È l'ora di partire.
ENZO: Lei, Bạrbara, è pronta?
BẠRBARA: Sì, sono pronta ma...
GIOVANNI: (*sorride*) Che forse ha paura di viaggiare nella mia vẹcchia mạcchina?
BẠRBARA: Macché paura: ho sonno. Sono andata a letto tardi ieri sera.
ANNA: Dormirai stasera; ora, andiamo!

I quattro giọvani sono in Piazza della Repụbblica e stanno per partire per una gita a Pisa. Andranno con la vẹcchia mạcchina di Giovanni. Sono le nove di una bella mattina di ottobre. Poco dopo pạrtono, e in pochi minuti cọrrono velocemente sull'autostrada che da Firenze va a Migliarino. Là prenderanno la strada per Pisa.

BẠRBARA: Per piacere! Vada piano! Perché tutta questa fretta?
GIOVANNI: Non ạbbia paura.
BẠRBARA: Le ho già detto che non ho paura, ma non dimẹntichi che la sua mạcchina è vẹcchia. E per di più è poco cọmoda. Aveva ragione Anna; perché non siamo andati in treno?

Dopo circa un'ora la mạcchina finalmente arriva a Migliarino dove l'autostrada finisce. I giọvani si fẹrmano brevemente prima di proseguire per Pisa.

ANNA: Come va? Hai ancora sonno, Bạrbara?
BẠRBARA: No, ora sono svẹglia, ma ho sete.
ANNA: Prendi una delle aranciate che abbiamo portato.
BẠRBARA: Sì, volentieri. Quando mangiamo?
ANNA: Mangiamo ora, io ho fame.
ENZO: No, aspettiamo un po'! Mangeremo a Pisa.
BẠRBARA: Bene, nel frattempo Giovanni, Lei ci parli un po' di Pisa.
GIOVANNI: Pisa è una città molto simpạtica. Tutte le case sono pendenti come la Torre...
BẠRBARA: Non fạccia lo spiritoso!
GIOVANNI: Scherzavo! Ma perché non ripartiamo?
ANNA: È vero; è inụtile pẹrdere tempo.
ENZO: Saremo a Pisa in mezz'ora.

E dopo pochi minuti i quattro giọvani sono di nuovo in viạggio verso Pisa.

II. *Rispondete alle seguenti domande.*

1. Come vanno a Migliarino i nostri amici, in treno?
2. Perché ha sonno Barbara?
3. Va piano Giovanni sull'autostrada?
4. Dove finisce l'autostrada?
5. Proseguono immediatamente per Pisa?
6. Barbara quando ha sete che cosa prende?
7. Dove mangeranno?
8. Dov'è Pisa?
9. Per che cosa è famosa Pisa?
10. Com'è la macchina di Giovanni?

1. ______________________________

2. ______________________________

3. ______________________________

4. ______________________________

5. ______________________________

6. ______________________________

7. ______________________________

8. ______________________________

9. ______________________________

10. ______________________________

CLASSE__________ DATA_________ NOME E COGNOME________________________

PARTE B

LEZIONE 20

Scrivete le seguenti frasi facendo i cambiamenti indicati.

I. Esempi: Non voglio telefonare al dottore.
Telefoni Lei al dottore, per piacere.
Non vogliamo andare a letto ora.
Vadano Loro a letto ora, per piacere.

1. Non vogliamo parlare all'impiegato.
2. Non voglio cambiare l'abito.
3. Non voglio prendere il tassì.
4. Non vogliamo essere in orario.
5. Non voglio finire l'aranciata.

1. ____________________
2. ____________________
3. ____________________
4. ____________________
5. ____________________

II. Esempi: Io ho già parlato.
Parla tu ora!
Noi abbiamo già finito.
Finite voi ora!

1. Io ho già ordinato.
2. Noi abbiamo già ascoltato.
3. Io ho già scritto.
4. Noi abbiamo già dormito.
5. Noi abbiamo già assaggiato l'aranciata.

1. ____________________
2. ____________________
3. ____________________
4. ____________________
5. ____________________

III. Esempi: Vedo che tu hai paura.
Non avere paura.
Vedo che Lei fa lo spiritoso.
Non faccia lo spiritoso.

1. Vedo che Lei grida.
2. Vedo che tu vai piano.
3. Vedo che Lei viene qui spesso.
4. Vedo che tu perdi tempo.
5. Vedo che Lei ci segue.

1. ______________________________

2. ______________________________

3. ______________________________

4. ______________________________

5. ______________________________

IV. Esempi: Loro non vogliono rispondere.
Non rispondano.
Voi non volete scrivere.
Non scrivete.

1. Loro non vogliono andare.
2. Voi non volete venire.
3. Loro non vogliono fare il viaggio.
4. Voi non volete essere bravi.
5. Voi non volete avere paura.

1. ______________________________

2. ______________________________

3. ______________________________

4. ______________________________

5. ______________________________

CLASSE__________ DATA__________ NOME E COGNOME______________________

PARTE C

LEZIONE 20

I. *Il lettore detterà alcune frasi del dialogo. Scrivete le frasi dettate.*

1. ______________________________

2. ______________________________

3. ______________________________

4. ______________________________

5. ______________________________

6. ______________________________

7. ______________________________

8. ______________________________

9. ______________________________

10. ______________________________

II. *Date la forma corretta dell'imperativo.*

Esempi: (parlare/Lei) Per piacere ___*parli*___ italiano!

(ripetere/tu) Non ___*ripetere*___ tutte le bugie di Enzo!

1. (essere/voi) Ragazzi, per favore ______________ bravi!

2. (avere/Lei) Le ripeto, non ______________ paura del professore!

3. (fare/Loro) ______________ presto perché è tardi!

4. (venire/tu) Non ______________ prima delle due e mezzo!

5. (andare/Lei) ______________ verso Viareggio!

6. (gridare/noi) ______________ tutti insieme!

7. (perdere/Lei) Non ______________ troppo tempo!

8. (ridere/tu) Giovanni, non ______________ in classe!

9. (assaggiare/voi) ______________ questo vino di Orvieto!

10. (andare/Loro) ______________ a letto presto!

CLASSE____________ DATA__________ NOME E COGNOME______________________________

PARTE D

LEZIONE 20

Usando le illustrazioni e gli esempi come guida, scegliete il verbo adatto e:

(a) scrivete la forma corretta dell'imperativo (singolare),
(b) cambiate la frase alla forma negativa,
(c) scrivete la forma corretta dell'imperativo (plurale),
(d) cambiate la frase alla forma negativa.

ANDARE (a scuola, a casa) - CANTARE - CHIAMARE (il tassì, il facchino) - TELEFONARE - MANGIARE - FARE (presto) - SCRIVERE - LEGGERE - APRIRE - FINIRE

Esempi:

(LEI - LORO)
(a) Canti!
(b) Non canti!
(c) Cantino!
(d) Non cantino!

(TU - VOI)
(a) Va' a scuola!
(b) Non andare a scuola!
(c) Andate a scuola!
(d) Non andate a scuola!

1. (TU - VOI)
(a) ______________________
(b) ______________________
(c) ______________________
(d) ______________________

2. (LEI - LORO)
(a) ______________________
(b) ______________________
(c) ______________________
(d) ______________________

3. (TU - VOI)

(a) ______________________________

(b) ______________________________

(c) ______________________________

(d) ______________________________

4. (LEI - LORO)

(a) ______________________________

(b) ______________________________

(c) ______________________________

(d) ______________________________

5. (TU - VOI)

(a) ______________________________

(b) ______________________________

(c) ______________________________

(d) ______________________________

6. (LEI - LORO)

(a) ______________________________

(b) ______________________________

(c) ______________________________

(d) ______________________________

CLASSE_______________ DATA_____________ NOME E COGNOME__________________________

7. (TU - VOI)

(a) ______________________________

(b) ______________________________

(c) ______________________________

(d) ______________________________

8. (LEI - LORO)

(a) ______________________________

(b) ______________________________

(c) ______________________________

(d) ______________________________

9. (TU - VOI)

(a) ______________________________

(b) ______________________________

(c) ______________________________

(d) ______________________________

10. (LEI - LORO)

(a) ______________________________

(b) ______________________________

(c) ______________________________

(d) ______________________________

CLASSE__________ DATA__________ NOME E COGNOME____________________

PARTE A

LEZIONE 21

I. *Leggete e ascoltate il dialogo seguente.*

La vigilia di Natale

È la vigịlia di Natale, e le vie di Firenze sono affollate come le vie di tutte le altre città d'Itạlia. Ma anche se le vie, i tram e i fịlobus sono pieni dị gente, non sono così affollati come i negozi, specialmente le pasticcerie. Anche le chiese sono piene di persone che vanno da una chiesa all'altra per visitare i presepi. Per festeggiare il Natale, tutte le chiese hanno un presẹpio che rappresenta la nạscita di Gesù in una grotta con i Re Magi, gli ạngeli, eccẹtera. Fra le persone che vanno in giro per la città, ci sono anche Bạrbara e Anna. Le troviamo davanti alla vetrina di una grande pasticceria dove guạrdano i dolci.

ANNA: Com'è bello quẹl panettone! Hai mai assaggiato il panettone, Bạrbara?

BẠRBARA: Sì, ma di tutti i dolci italiani di Natale preferisco il torrone. Il panettone mi sembra più bello che buono. E tu?

ANNA: Io preferisco il panforte; trovo che il panforte è più buono del torrone.

BẠRBARA: Sono buoni tutti e due. Perché non entriamo in questa pasticceria e non compriamo dei dolci?

ANNA: No, andiamo in un'altra quị vicino. Conosco una delle commesse.

BẠRBARA: Benịssimo. E poi andiamo a vedere il presẹpio di Santa Maria Novella, vuoi?

ANNA: Certamente. Ecco l'altra pasticceria.

COMMESSA: Buọn giorno; buọn giorno, signorina Manịn. Ha veduto quanta gente?

ANNA: Sì, sì, dappertutto è lo stesso. Senta, ci dia due torroni e un panforte grande.

BẠRBARA: Perché non un torrone solamente e un panforte pịccolo?

ANNA: Perché domani vẹngono gli amici, e un torrone e un panforte pịccolo non bạstano.

COMMESSA: Vọgliono un panforte come questo?

ANNA: No, un po' più grande; grande come quello che ho veduto in vetrina.

BẠRBARA: No, Anna; questo basta per quattro persone; è più grande di quẹl che credi.

ANNA: Va bene, allora. E ora ci dia due torroni, per favore.

COMMESSA: Vọgliono provare queste caramelle? Sono squisite. Ecco, le assạggino!

BẠRBARA: Assạggiale anche tu, Anna; sono squisite. Va bene, signorina; metta alcune caramelle con i torroni e il panforte, e fạccia il conto.

Le due amiche pạgano ed ẹscono.

BẠRBARA: Da' i dolci a me, li porto io.

ANNA: No, i dolci li porto io. Domani li mangeremo insieme, ma ora li porto io.

BẠRBARA: Fa' come vuoi! Ma fammi un favore: cammina più piano, tu hai sempre fretta.

ANNA: Senti; quando vedi Giovanni, non gli dire nulla. Non gli dire che abbiamo comprato i dolci. Domani gli facciamo una sorpresa; va bene?

II. *Rispondete alle seguenti domande.*

1. La vigilia di Natale sono affollate solamente le strade?
2. Perché in Italia molte persone vanno da una chiesa all'altra?
3. Che cosa rappresenta il presepio?
4. Perché Barbara e Anna entrano in una pasticceria?
5. Che cosa faranno Barbara e Anna quando avranno comprato dei dolci?
6. Per quante persone basterà il panforte che comprano?
7. Che cosa assaggiano le due ragazze?
8. Con chi mangeranno i dolci che hanno comprato le due signorine?
9. Perché non vogliono dire niente ai loro amici?
10. Chi porta i dolci?

1. ____________________

2. ____________________

3. ____________________

4. ____________________

5. ____________________

6. ____________________

7. ____________________

8. ____________________

9. ____________________

10. ____________________

CLASSE__________ DATA__________ NOME E COGNOME____________________

PARTE B

LEZIONE 21

Scrivete le seguenti frasi usando gli esempi come guida.

I. Esempi: Questo torrone è squisito; anche quello è squisito.
Questo torrone è (così) squisito come quello.
Enzo è simpatico; anche Carlo è simpatico.
Enzo è (così) simpatico come Carlo.

1. Questa chiesa è interessante; anche quella è interessante.
2. Maria è bella; anche sua sorella è bella.
3. La pianista è brava; anche la violinista è brava.
4. Questa valigia è leggera; anche quella è leggera.
5. Lui è stanco; anch'io sono stanco.

1. ____________________
2. ____________________
3. ____________________
4. ____________________
5. ____________________

II. Esempi: Parigi è interessante; Roma è più interessante.
Roma è più interessante di Parigi.
Franca è simpatica; Roberta è meno simpatica.
Roberta è meno simpatica di Franca.

1. Questo giardino è carino; quello è più carino.
2. Il signor Falchi è gentile; la signora Falchi è più gentile.
3. Il vino rosso è cattivo; il vino bianco è meno cattivo.
4. La stazione di Milano è grande; la stazione di Napoli è meno grande.
5. Il panforte è caro; il panettone è più caro.

1. ____________________
2. ____________________
3. ____________________
4. ____________________
5. ____________________

Rispondete alle seguenti domande, usando gli esempi come guida.

III. Esempi: Mi dica, devo stare a letto?
<u>Sì, stia a letto!</u>
Dimmi, devo dare il denaro al facchino?
<u>Sì, da' il denaro al facchino!</u>

1. Mi dica, devo venire a casa Sua alle otto?
2. Dimmi, devo fare colazione subito?
3. Mi dica, devo andare in giro per la città?
4. Dimmi, devo andare sempre avanti?
5. Mi dica, devo dare le caramelle ai bambini?

1. ______________________________

2. ______________________________

3. ______________________________

4. ______________________________

5. ______________________________

IV. Esempi: Rispondimi, posso dare il dolce?
<u>Sì, dallo!</u>
Mi risponda, posso fare il conto?
<u>Sì, lo faccia!</u>

1. Rispondimi, posso fare il viaggio?
2. Mi risponda, posso dare la mano?
3. Rispondimi, posso dire la bugia?
4. Mi risponda, posso fare la sorpresa?
5. Mi risponda, posso dire che arriverò domani?

1. ______________________________

2. ______________________________

3. ______________________________

4. ______________________________

5. ______________________________

CLASSE__________ DATA__________ NOME E COGNOME______________________

PARTE C

LEZIONE 21

I. *Il lettore detterà alcune frasi del dialogo. Scrivete le frasi dettate.*

1. ______________________________

2. ______________________________

3. ______________________________

4. ______________________________

5. ______________________________

6. ______________________________

7. ______________________________

8. ______________________________

9. ______________________________

10. ______________________________

II. *Date la forma corretta dell'imperativo usando gli esempi come guida.*

Esempi: (guardare/voi) *Guardate* ______ i dolci di Natale!

(fare/Lei) Mi *faccia* ______ il conto, per favore!

1. (dare/Loro) ______________ i regali ai bambini!

2. (stare/tu) ______________ a Siena un altro anno!

3. (dire/Lei) Non mi ______________ tutte queste storie!

4. (sentire/noi) ______________ che cosa dice Mario!

5. (guardare/tu) Non ______________ sempre così!

6. (dare/Lei) Ci ______________ due biglietti per stasera!

7. (dire/Loro) Per favore, mi ______________ dov'è?

8. (stare/noi) ______________ qui; non entriamo!

9. (dare/tu) ______________ il benvenuto agli invitati!

10. (dire/voi) Ragazzi, ______________ tutto al rettore!

CLASSE___________ DATA___________ NOME E COGNOME_______________________

PARTE D

LEZIONE 21

Usando le illustrazioni e gli esempi come guida, leggete le seguenti frasi e poi:

(a) scrivete la frase adatta a destra di ogni illustrazione;
(b) cambiate la frase con la forma corretta del comparativo di maggioranza o di minoranza;
(c) cambiate la frase con la forma corretta del comparativo di uguaglianza.

1. Il cane è più fedele del gatto.
2. Questi libri sono più interessanti di quelli.
3. La tigre (tiger) è più feroce del gatto.
4. Il caffè americano è meno forte del caffè italiano.
5. Questa chiesa è meno vecchia di quella.
6. Questo vino è meno caro di quello.
7. L'elefante (elephant) è più grande della balena (whale).
8. Quelle rose sono meno belle da vicino di queste.
9. La Torre Pendente di Pisa è più alta dell'edificio di Pirelli.
10. Gina è più gentile di Paolo.
11. Questa minestra è più buona di quella torta.
12. Quella casa è più bella da lontano della nostra.

Esempi:

(a) Questi libri sono più interessanti di quelli.

(b) Questi libri sono meno interessanti di quelli.

(c) Questi libri sono così interessanti come quelli.

(a) Questo vino è meno caro di quello.

(b) Questo vino è più caro di quello.

(c) Questo vino è così caro come quello.

1. (a) ______________________________

____

(b) ______________________________

____

(c) ______________________________

____

2. (a) ______________________________

____

(b) ______________________________

____

(c) ______________________________

____

3. (a) ______________________________

____

(b) ______________________________

____

(c) ______________________________

____

4. (a) ______________________________

____

(b) ______________________________

____

(c) ______________________________

____

CLASSE ____________ DATA ___________ NOME E COGNOME ___________________________

5. (a) ______________________________

____

(b) ______________________________

____

(c) ______________________________

____

6. (a) ______________________________

____

(b) ______________________________

____

(c) ______________________________

____

7. (a) ______________________________

____

(b) ______________________________

____

(c) ______________________________

____

8. (a) ______________________________

____

(b) ______________________________

____

(c) ______________________________

____

9. (a) ______________________________

____

(b) ______________________________

____

(c) ______________________________

____

10. (a) ______________________________

____

(b) ______________________________

____

(c) ______________________________

____

CLASSE____________ DATA__________ NOME E COGNOME____________________________

PARTE A

LEZIONE 22

I. *Leggete e ascoltate il dialogo seguente.*

Alla posta

Manca un quarto alle sei e Bạrbara cammina in fretta verso la posta. La posta chiude alle sei e Bạrbara ha molte lẹttere che vuole impostare. Entra e mentre aspetta il suo turno allo sportello dove vẹndono i francobolli, un giọvane le dice: — Quante lẹttere! Lei deve avere molti ammiratori!

BẠRBARA: Enzo!

ENZO: Scherzavo, Bạrbara, ma ha tante lẹttere!

BẠRBARA: Certo che ne ho tante; sono lẹttere di Natale.

ENZO: Ah, ora capisco; ne ha mandata una anche a me?

BẠRBARA: No, a Lei non gliela mando perché gli auguri glieli farò personalmente. Lei non ne manda?

ENZO: No, mi dispiace. È una simpatica usanza, ma io non la sẹguo.

IMPIEGATO: Lei, signorina, desịdera...

BẠRBARA: Per favore mi dia dei francobolli per gli Stati Uniti.

IMPIEGATO: Quanti ne vuole?

BẠRBARA: Novantacịnque francobolli per posta aẹrea, e ottantaquattro per posta regolare.

IMPIEGATO: Scusi, ha detto che ne vuole novantacịnque per posta aẹrea, e ottantaquattro per posta regolare?

BẠRBARA: Sì. (*a Enzo*) Anche in Itạlia mandate tante lẹttere per Natale, non è vero?

ENZO: Sì, ogni anno ne mandiamo sempre di più. Ma, come ho detto, non è un'usanza che io sẹguo.

BẠRBARA: (*all'impiegato*) Questa lẹttera la vọglio mandare raccomandata.

IMPIEGATO: Benịssimo. Ecco i francobolli ed ecco la ricevuta.

BẠRBARA: Grạzie. Enzo, sia buono, m'aiuti ad attaccare i francobolli alle buste.

ENZO: Sụbito; ma prima devo comprare anch'io un francobollo.

Dopo un quarto d'ora Bạrbara e Enzo hanno finito ed ẹscono.

BARBARA: Ho dimenticato di comprare un francobollo espresso, ma non importa. Lo comprerò più tardi.

ENZO: Fino a poco tempo fa vendevano i francobolli, il sale e le sigarette solamente in negozi speciali chiamati Sale e Tabacchi.

BARBARA: È interessante. Perché?

ENZO: (*ride*) È molto semplice. La vendita del sale e del tabacco era monopolio dello stato in Italia, e così il sale e il tabacco li vendevano solamente in negozi speciali chiamati Sale e Tabacchi.

II. *Rispondete alle seguenti domande.*

1. Mandano molte cartoline di Natale in Italia?
2. Perché Enzo non segue quest'usanza?
3. Che cosa è un Sale e Tabacchi?
4. Chi aveva il monopolio del tabacco e del sale in Italia?
5. Con chi passerà il Natale Barbara?
6. Cosa dice l'impiegato quando Barbara compra tanti francobolli?
7. Che cosa ci dà l'impiegato quando mandiamo una lettera raccomandata?
8. Barbara ha mandato una cartolina di Natale anche a Enzo?
9. Perché?
10. È simpatico l'impiegato che parla con Barbara?

1. ______________________________

2. ______________________________

3. ______________________________

4. ______________________________

5. ______________________________

6. ______________________________

7. ______________________________

8. ______________________________

9. ______________________________

10. ______________________________

CLASSE__________ DATA_________ NOME E COGNOME________________________

PARTE B

LEZIONE 22

Scrivete le seguenti frasi usando gli esempi come guida.

I. Esempi: Ho veduto molti musei.
Ne ho veduti molti.
Lui ha mangiato una bistecca.
Lui ne ha mangiata una.

1. Hanno assaggiato i torroni.
2. Hai comprato le sigarette.
3. Ho impostato una cartolina.
4. Avete chiuso una finestra.
5. Abbiamo mandato tante lettere.

1. ______________________________
2. ______________________________
3. ______________________________
4. ______________________________
5. ______________________________

II. Esempi: Ci danno la ricevuta.
Ce la danno.
Mi parla della vendita.
Me ne parla.

1. Vi spiega l'usanza italiana.
2. Gli parliamo del romanzo.
3. Le scrivo gli esami.
4. Parlo loro del monopolio in Italia.
5. Lui non mi dà la lettera raccomandata.

1. ______________________________
2. ______________________________
3. ______________________________
4. ______________________________
5. ______________________________

Rispondete alle seguenti domande usando gli esempi come guida.

III. Esempi: Parli loro degli ammiratori?
Sì, ne parlo loro.
Dà loro le ricevute?
Sì, le do loro.

1. Spieghi loro questa lezione?
2. Compri loro le sigarette americane?
3. Dai loro i francobolli?
4. Parla loro della poesia di Dante?
5. Scrivi loro le cartoline di Natale?

1. ______________________________

2. ______________________________

3. ______________________________

4. ______________________________

5. ______________________________

IV. Esempi: Gli apro la porta, va bene?
No, non gliela apra!
Ti do il conto, va bene?
No, non me lo dare!

1. Do la ricevuta a Giorgio, va bene? ______________________________

2. Ripeto a lei la domanda, va bene? ______________________________

3. Presento Loro la signorina, va bene? ______________________________

4. Vi riporto le buste, va bene? ______________________________

5. Ti porto dei fiori, va bene? ______________________________

CLASSE__________ DATA__________ NOME E COGNOME______________________

PARTE C

LEZIONE 22

I. *Il lettore detterà alcune frasi del dialogo. Scrivete le frasi dettate.*

1. ______________________________

2. ______________________________

3. ______________________________

4. ______________________________

5. ______________________________

6. ______________________________

7. ______________________________

8. ______________________________

9. ______________________________

10. ______________________________

II. *Date la forma corretta dei complementi oggetti e di termine.*

Esempi: Umberto darà i francobolli cinesi a noi.
Umberto ce li darà.
Leggete il telegramma a me!
Leggetemelo!

1. Il rettore ci spiegherà le ragioni. ______________________

2. Le ho scritto tutte queste lettere. ______________________

3. Ripeti le parole alla tua maestra! ______________________

4. Lui dà la cartolina al tuo amico. ______________________

5. Non mi vogliono dare le sigarette. ______________________

6. Lui non porta la colazione a noi. ______________________

7. Insegnerò questa lezione a Claudio. ______________________

8. Luigi non ripete le regole a voi. ______________________

9. Loro dicono la storia alla signora. ______________________

10. Parliamo dell'Italia! ______________________

CLASSE____________ DATA____________ NOME E COGNOME__________________________

PARTE D

LEZIONE 22

Usando le illustrazioni e gli esempi come guida,
(a) completate la frase con il nome corretto e
(b) cambiate la frase alla forma imperativa con il doppio oggetto.

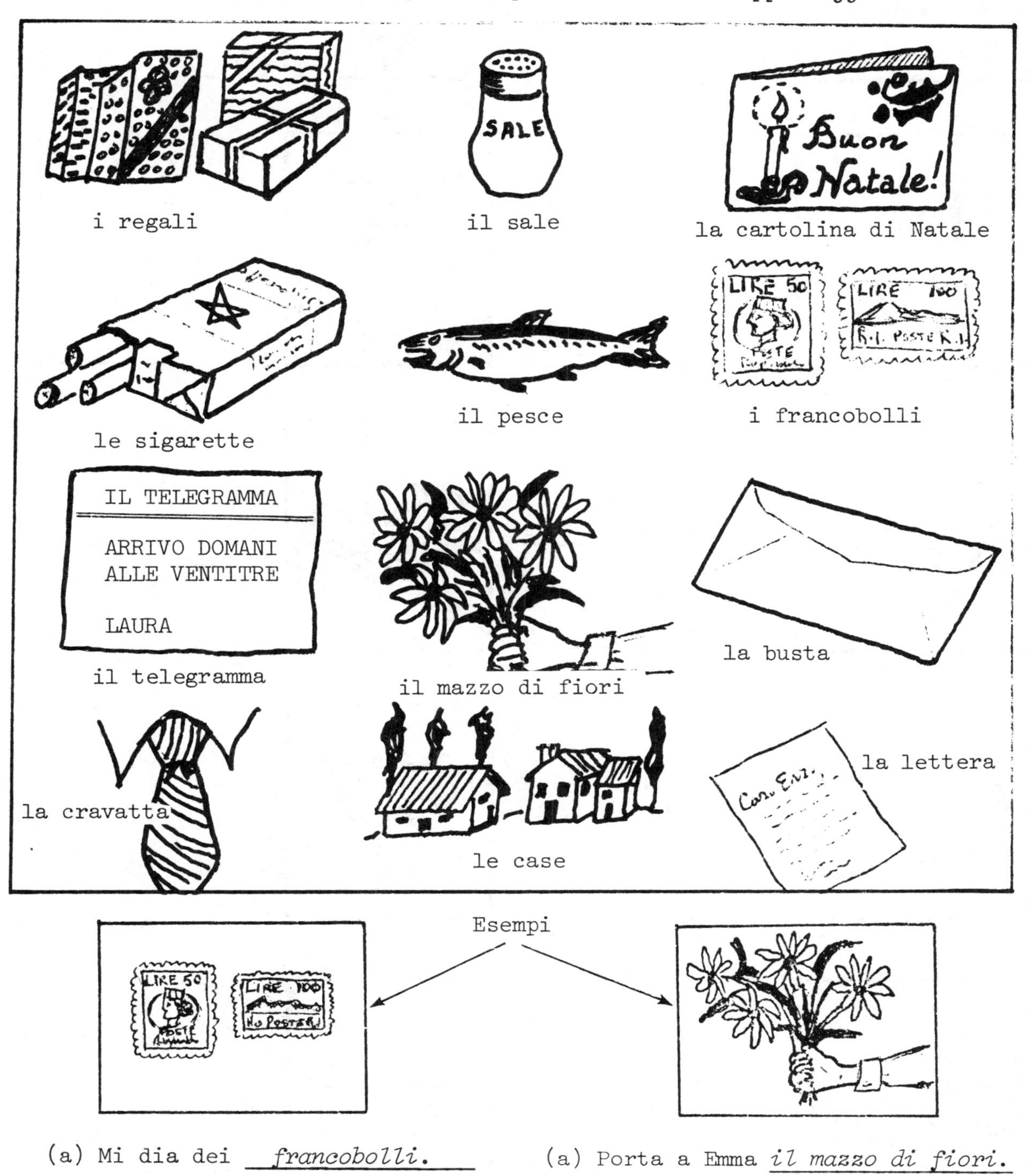

Esempi

(a) Mi dia dei *francobolli.*

(b) *Me ne dia!*

(a) Porta a Emma *il mazzo di fiori.*

(b) *Portaglielo!*

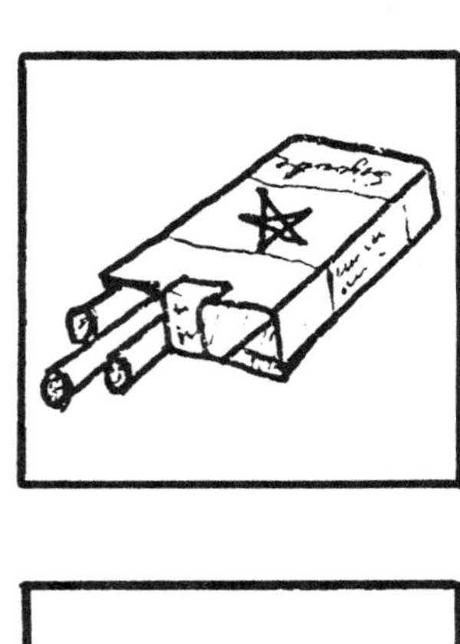

1.

(a) Ci comprino delle ____________

(b) ____________!

2.

(a) Vendi ________ ________ a Mario.

(b) ____________!

3.

(a) Mi passi ______ ________________

(b) ____________!

4.

(a) Leggete ______ ________________ __ ai vostri amici.

(b) ____________!

5.

(a) Scrivano ______ _________a Claudia.

(b) ____________!

6.

(a) Da'__________ ________ai bambini.

(b) ____________!

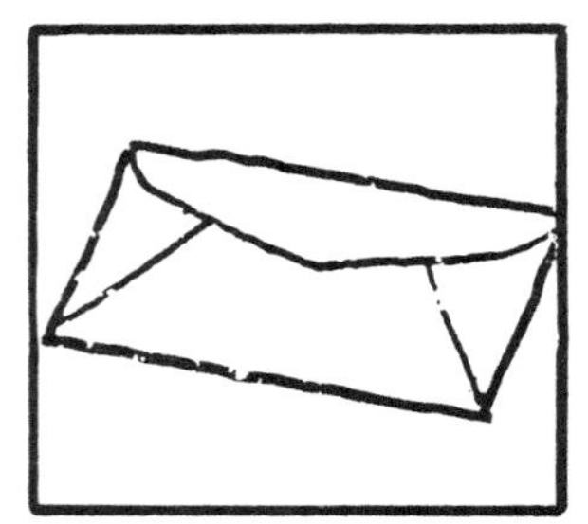

7.

(a) Vi apriamo ____ ________________

(b) ____________!

8.

(a) Mandi ________ ________________ ______ a mia madre.

(b) ____________!

9.

(a) Mi parlino delle Loro ________

(b) ____________!

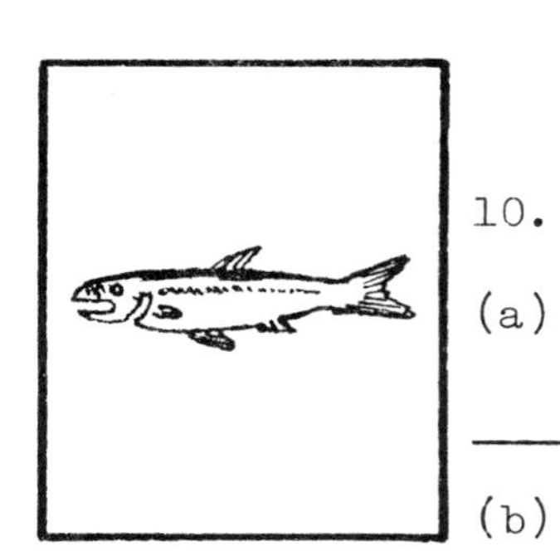

10.

(a) Assaggiaci _____ ________________

(b) ____________!

CLASSE____________ DATA__________ NOME E COGNOME____________________________

PARTE A

LEZIONE 23

I. *Leggete e ascoltate il dialogo seguente.*

Buon anno! *Oggi è il primo gennạio, è Capodanno. È festa. È quasi mezzogiorno e le vie sono affollate. Bạrbara arriva a casa di Giovanni dov'è stata invitata per la colazione. Suona il campanello e Giovanni viene ad aprire.*

GIOVANNI: Buọn Anno! Entra pure, accọmodati! (*È già una settimana che Bạrbara e Giovanni si danno del "tu"*). È molto tempo che mio padre e mia madre desịderano fare la tua conoscenza.

BẠRBARA: Scusa se sono un po' in ritardo. Volevo comprare un pịccolo calendạrio per l'anno nuovo ma tutti i negozi sono chiusi.

GIOVANNI: Ti presento mia madre... e mio padre... Bạrbara Pace, la signorina americana di cui vi ho parlato tante volte.

I GENITORI: Piacere, signorina!

BẠRBARA: Piacere!

LA MADRE: È molto tempo che è a Firenze, signorina?

BẠRBARA: Tre mesi. Sono arrivata il cịnque ottobre. Come passa il tempo!

IL PADRE: Io conosco il Suo paese, signorina. Quand'ero giọvane ho fatto due viaggi in Amẹrica: la prima volta nel 1950 e la seconda, insieme a mia mọglie, nel 1955. La prima volta restai a New York da mạggio a lụglio; e la seconda restammo a Boston da febbrạio a settembre.

BẠRBARA: Allora Lei parla inglese?

IL PADRE: Non molto bene, mi arrạngio. Una volta però mia mọglie e io lo parlavamo abbastanza bene.

LA MADRE: Lei, signorina, parla benịssimo l'italiano.

BẠRBARA: Grạzie. Io sono quạ per perfezionare la mia conoscenza dell'italiano, ma sẹguo anche un corso di stọria dell'arte e uno di geografia.

IL PADRE: Ci ha detto Giovanni che ieri sera siete andati a un ballo per festeggiare la fine dell'anno vẹcchio e il princịpio dell'anno nuovo. Vi siete divertiti?

BẠRBARA: Molto. C'ẹrano circa centocinquanta persone e abbiamo ballato fino a tardi.

LA MADRE: Quando riapre l'università?

GIOVANNI: Il sette gennaio, il giorno dopo l'Epifania. Tu sai cos'è l'Epifania, Barbara?

BARBARA: No. Che cos'è?

LA MADRE: L'Epifania, o come dicono i ragazzi la Befana, è una specie di secondo Natale, e molti bambini ricevono dolci e altri regali.

IL PADRE: La Befana è una specie di Santa Claus italiano; ma è una donna, non un uomo.

GIOVANNI: Paese che vai, usanza che trovi. Per i bambini quello che importa è che ricevono dei regali, non importa se il 25 dicembre o il 6 gennaio!

LA CAMERIERA: Signora, è pronto.

LA MADRE: Oggi, signorina, assaggerà un piatto di Capodanno tradizionale in alcune parti d'Italia, "zampone e lenticchie."

II. *Rispondete alle seguenti domande.*

1. Perché non c'è nessuno per le vie la mattina di Capodanno?
2. Perché Barbara è andata a casa di Giovanni?
3. Perché Giovanni va ad aprire la porta?
4. Perché è in ritardo Barbara?
5. Perché non ha comprato il calendario?
6. Quando Le presentano un signore o una signora italiana, che cosa dice Lei?
7. Quanti viaggi ha fatto in America il padre di Giovanni?
8. Quante persone c'erano al ballo?
9. Quando ricevono regali molti bambini italiani?
10. Sono tradizionali in tutta l'Italia lo zampone e le lenticchie?

1. ______________________________

2. ______________________________

3. ______________________________

4. ______________________________

5. ______________________________

6. ______________________________

7. ______________________________

8. ______________________________

9. ______________________________

10. ______________________________

CLASSE__________ DATA_________ NOME E COGNOME____________________

PARTE B

LEZIONE 23

Rispondete alle seguenti domande, usando gli esempi come guida.

I. Esempi: Avrà Lei cento dollari in banca?
Ne avrò duecento in banca.
Venderete ottocento cinquanta quaderni?
Ne venderemo novecento cinquanta.

1. Riceverà Lei circa cinquanta cartoline di Natale quest'anno?
2. Mangerete più di venticinque arance in un mese?
3. Desideranno Loro duecento bicchieri per il ricevimento?
4. Inviterai più di novecento uomini e donne alla festa?
5. Comprerete venti ricordi durante il vostro viaggio?

1. ____________________
2. ____________________
3. ____________________
4. ____________________
5. ____________________

II. Esempi: Quell'automobile costerà più di sei mila cinquecento dollari?
No, costerà meno di cinque mila cinquecento dollari.
Questa città avrà più di ottocento mila abitanti?
No, avrà meno di settecento mila abitanti.

1. Quel signore pagherà più di un milione di lire?
2. Quella donna riscuoterà più di due milioni cento mila lire alla banca?
3. Questa villa costerà più di ottanta mila duecento dollari?
4. Quei regali costeranno più di mille cinquecento dollari?
5. Quegli uomini riceveranno più di nove mila lire al giorno.

1. ____________________
2. ____________________
3. ____________________
4. ____________________
5. ____________________

Rispondete alle seguenti domande usando gli esempi come guida.

III. Esempi: Vuoi guidare questo autobus?
<u>Mi dispiace, ma non so guidare.</u>
Volete scrivere in greco?
<u>Ci dispiace, ma non sappiamo scrivere in greco.</u>

1. Vuole Lei nuotare in questa piscina?
2. Vogliono Loro farlo?
3. Vuoi aprire quella finestra, per favore?
4. Volete ballare la tarantella?
5. Vuole Lei suonare il pianoforte?

1. ____________________

2. ____________________

3. ____________________

4. ____________________

5. ____________________

IV. Esempi: Perché non parla di Roma?
<u>Perché non la conosco.</u>
Perché non salutano Loro mio fratello?
<u>Perché non lo conosciamo.</u>

1. Perché non dà Lei il benvenuto agl'invitati?
2. Perché non parlano Loro di Genova?
3. Perché non saluti quelle donne?
4. Perché non parlate ai genitori di Giovanni?
5. Perché non fa Lei una conferenza sulla storia medioevale?

1. ____________________

2. ____________________

3. ____________________

4. ____________________

5. ____________________

CLASSE__________ DATA__________ NOME E COGNOME______________________

PARTE C

LEZIONE 23

I. *Il lettore detterà alcune frasi del dialogo. Scrivete le frasi dettate.*

1. ______________________________

2. ______________________________

3. ______________________________

4. ______________________________

5. ______________________________

6. ______________________________

7. ______________________________

8. ______________________________

9. ______________________________

10. ______________________________

II. *Scrivete in italiano usando gli esempi come guida.*

Esempi: 28/10/1623
il ventotto ottobre, mille seicento ventitre.

1/11/1977
il primo novembre, mille novecento settantasette.

1. 26/6/1887 ______________________________

2. 3/5/1649 ______________________________

3. 25/1/1964 ______________________________

4. 1/1/1457 ______________________________

5. 18/9/1970 ______________________________

6. 14/2/1327 ______________________________

7. 12/6/1589 ______________________________

8. 14/2/1327 ______________________________

9. 7/4/1218 ______________________________

10. 23/11/1923 ______________________________

CLASSE ____________ DATA __________ NOME E COGNOME ____________________________

PARTE D

LEZIONE 23

Usando le illustrazioni e gli esempi come guida, seguite attentamente le spese (the expenses) di Giorgio e rispondete alle domande seguenti.

Esempi:

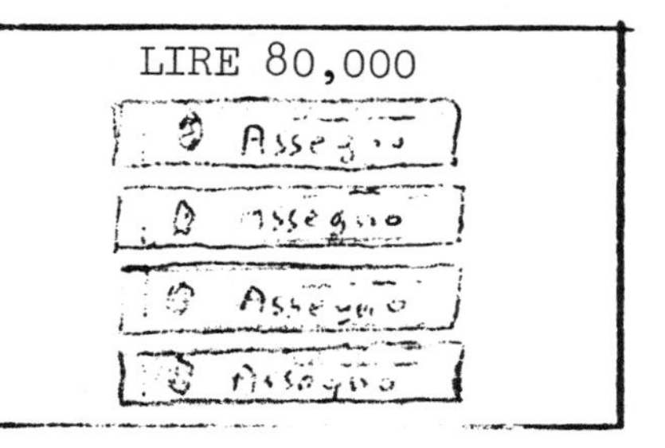

Giorgio va alla banca per riscuotere degli assegni. L'impiegato allo sportello conta le lire e gliele da a Giorgio.

(a) Quanti assegni aveva Giorgio?
<u>Giorgio aveva quattro assegni.</u>

(b) Quante lire ha?
<u>Ha ottanta mila lire.</u>

Prende tutti i suoi soldi dalla banca ed esce. Va al bar per prendere un rinfresco.

(a) Quanto paga al cameriere?
<u>Paga al cameriere ottocento lire.</u>

(b) Quante lire ha Giorgio ora?
<u>Ora Giorgio ha settantanove mila duecento lire.</u>

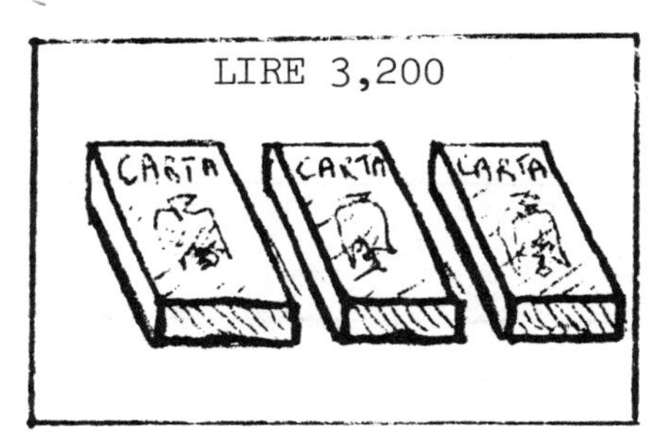

1. Come sappiamo, Giorgio ha settantanove mila duecento lire. Entra in una cartoleria e compra delle scatole di carta da lettere.

(a) Quante scatole di carta da lettere compra?

____

(b) Quante lire ha Giorgio ora?

____

2. Poi vede dei magnifici quaderni e ne compra due.

(a) Quante lire le dà Giorgio alla commessa?

____

(b) Quante lire ha Giorgio ora?

____

LIRE 5,500

3. Subito dopo, incontra suo padre in città. Suo padre gli dà una busta con dei soldi.
(a) Quante lire riceve Giorgio da suo padre?

____

(b) Quante lire ha Giorgio ora?

____

LIRE 450

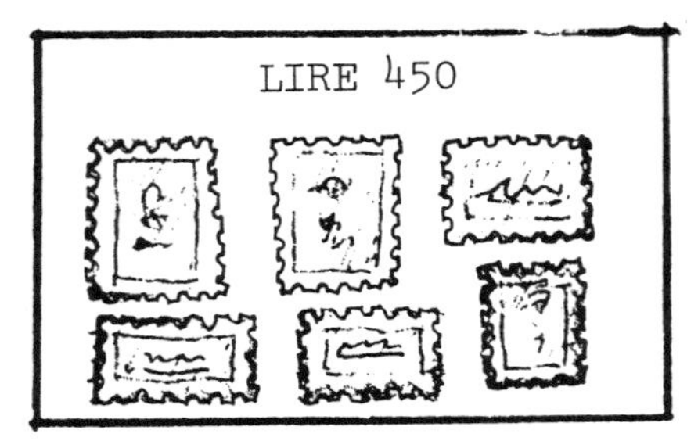

4. Giorgio va alla posta perché vuole comprare dei francobolli.
(a) Quanti francobolli gli dà l'impiegato?

____

(b) Quante lire ha Giorgio ora?

____

LIRE 2,000

5. Esce dalla posta e va al cinema per vedere un documentario molto interessante su Napoli.
(a) Qual'è il prezzo del biglietto?

____

(b) Quante lire ha Giorgio ora?

____

LIRE 900

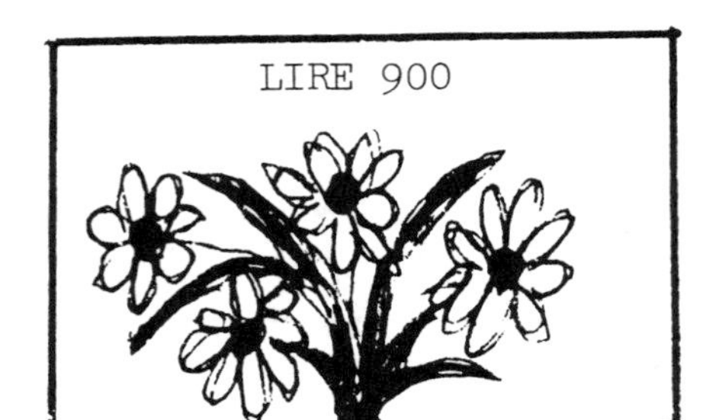

6. Dopo il cinema, Giorgio va al mercato dei fiori per comprare un mazzo di fiori.
(a) Quanto paga i fiori?

____

(b) Quante lire ha Giorgio ora?

____

CLASSE __________ DATA __________ NOME E COGNOME ____________________

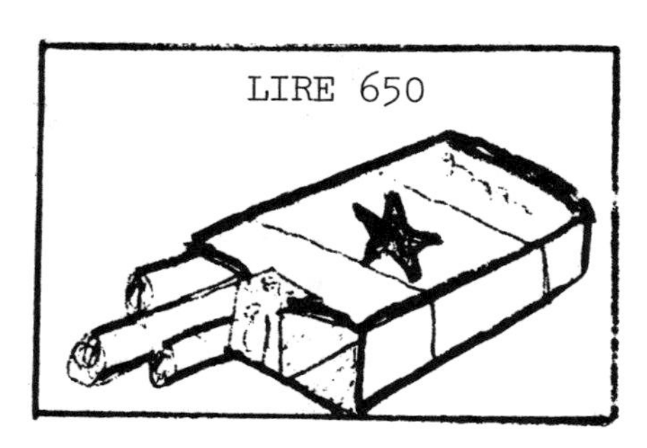

7. Compra delle sigarette al Sale e Tabacchi.
(a) Quante lire deve dare Giorgio per le sigarette?

____

(b) Quante lire ha Giorgio ora?

____

8. Giorgio ritorna al bar per prendere un caffè.
(a) Quanto paga al cameriere?

____

(b) Quante lire ha Giorgio ora?

____

9. Prende un tassì e ritorna a casa dove lo aspetta sua madre.
(a) Quanto paga all'autista (driver)?

____

(b) Quante lire ha Giorgio ora?

____

10. Finalmente, Giorgio arriva a casa, dà il mazzo di fiori a sua madre, mette tutte le lire sul tavolo e le conta.
(a) Quante lire conta?

____

(b) È vero che Giorgio deve avere settantaquattro mila trecento lire?

____

CLASSE__________ DATA__________ NOME E COGNOME____________________

PARTE A

LEZIONE 24

I. *Leggete e ascoltate il dialogo seguente.*

La chiesa di Santa Croce

Il professore d'arte ha portato i suoi studenti a visitare la chiesa di Santa Croce. Il professore e gli studenti sono nella grande piazza in cui si trova la chiesa, e il professore ha appena incominciato a parlare.

IL PROFESSORE: Sono certo che molti di Loro hanno già veduto questa chiesa, ma non importa. Vi sono delle cose che è bene vedere più di una volta. La chiesa di Santa Croce è una chiesa molto antica. Il poeta fiorentino Dante, di cui vediamo la statua in questa piazza, veniva spesso in questa chiesa dove c'erano degli eccellenti maestri. Naturalmente la chiesa oggi non è come era nel secolo di Dante. Allora era più piccola e più semplice. L'interno della chiesa di Santa Croce è molto bello e importante, non solo artisticamente, ma anche perché vi sono le tombe di molti grandi Italiani: Michelangelo, Niccolò Machiavelli, Galileo Galilei, Gioacchino Rossini, ecc. C'è anche un cenotafio, cioè una tomba vuota, in onore di Dante. Nel 1302, quando Dante aveva trentasette anni, andò in esilio, e morì a Ravenna dove è sepolto. Quandc Dante lasciò Firenze aveva già scritto molto, ma non aveva ancora finito la *Divina Commedia*. E ora entriamo in Santa Croce dove vedremo le tombe di cui vi ho parlato, e alcuni affreschi di Giotto.

Dopo circa un'ora, il professore e gli studenti escono da Santa Croce. È quasi mezzogiorno, e molti studenti ritornano a casa. Due o tre restano a parlare con il professore. Barbara e Anna si avviano verso Piazza del Duomo. Barbara dice alla sua amica: «Ma perché non prendiamo il tram? Io sono stanca.»

ANNA: Lo prenderemo alla fermata in Piazza del Duomo. Ho mal di testa e voglio comprare dell'aspirina.

BARBARA: Ma ci sarà una farmacia anche in questa piazza.

ANNA: Lo so, ma io vado sempre alla stessa farmacia.

BARBARA: Se è così!... È bella Santa Croce, vero?

ANNA: Sì. Io l'avevo già veduta un'altra volta, ma non avevo guardato bene gli affreschi di Giotto.

BARBARA: Sapevi che Dante era morto a Ravenna?

ANNA: Sì. Ce ne ha parlato il professore di letteratura italiana. A quanto pare morì poco dopo che ebbe finito la *Divina Commedia*. Ecco la farmacia. Entriamo!

II. *Rispondete alle seguenti domande.*

1. Dove ha portato i suoi studenti il professore d'arte?
2. Che cosa c'è nella piazza davanti alla chiesa?
3. Che cosa ha scritto Dante?
4. In che anno morì Dante?
5. Morì a Firenze?
6. Che cosa c'è in Santa Croce?
7. Perché Barbara e Anna vanno a Piazza del Duomo?
8. Quando prendiamo l'aspirina?
9. Che cosa compriamo in una farmacia?
10. In che anno andò in esilio Dante?

1. ______________________________

2. ______________________________

3. ______________________________

4. ______________________________

5. ______________________________

6. ______________________________

7. ______________________________

8. ______________________________

9. ______________________________

10. ______________________________

CLASSE__________ DATA_________ NOME E COGNOME________________________

PARTE B

LEZIONE 24

Scrivete le seguenti frasi usando gli esempi come guida.

I. Esempi: Ce ne parla il professore d'arte.
Ce ne aveva parlato il professore d'arte.
Vado alla farmacia per comprare dell'aspirina.
Ero andato alla farmacia per comprare dell'aspirina.

1. Vediamo l'interno della chiesa di Santa Croce.
2. Il professore e gli studenti escono da quella porta.
3. Enzo incomincia a parlare della statua del poeta fiorentino.
4. Lascio l'affresco qui nel mio studio.
5. A quanto pare, Luigi e Adriana vanno verso Piazza del Duomo.

1. ______________________________
2. ______________________________
3. ______________________________
4. ______________________________
5. ______________________________

II. Esempi: Mangio e poi vado al cinema.
Quando ebbi mangiato, andai al cinema.
Maria arriva e poi telefona ai suoi genitori.
Quando Maria fu arrivata, telefonò ai suoi genitori.

1. Finisco la lettura e poi ritorno a casa.
2. Lui si alza e poi studia la Divina Commedia.
3. Vanno alla chiesa di Santa Croce e poi parlano delle tombe.
4. Arrivo alla fermata e poi aspetto il filobus.
5. Ritorniamo dal ricevimento e poi incominciamo a studiare.

1. ______________________________
2. ______________________________
3. ______________________________
4. ______________________________
5. ______________________________

III. Esempi: Arrivano in classe e parlano subito al maestro.
Appena furono arrivati in classe, parlarono al maestro.
Compro i fiori e li porto subito a mia madre.
Appena ebbi comprato i fiori, li portai a mia madre.

1. Ritorna a casa e nuota subito con suo fratello.
2. Arriviamo all'albergo e mandiamo subito un telegramma.
3. Vittorio e Claudia entrano nella farmacia e comprano subito dell'aspirina.
4. I ragazzi si alzano alle sette e si vestono subito.
5. La lascio a casa e ritorno subito solo.

1. ______________________________

2. ______________________________

3. ______________________________

4. ______________________________

5. ______________________________

IV. Esempi: Andavo in Italia ogni anno.
Ci andavo ogni anno.
Siamo arrivati a Siena il dodici marzo.
Ci siamo arrivati il dodici marzo.

1. Non vanno più all'università americana.
2. Veniamo al mercato dei fiori spesso.
3. Se è così, non ritorno più a questo ristorante.
4. Loro sono arrivati alla stazione alle nove e mezza.
5. Era andata a Ravenna nel mille novecento settantasei.

1. ______________________________

2. ______________________________

3. ______________________________

4. ______________________________

5. ______________________________

CLASSE___________ DATA__________ NOME E COGNOME___________________________

PARTE C

LEZIONE 24

I. *Il lettore detterà alcune frasi del dialogo. Scrivete le frasi dettate.*

1. ______________________________

2. ______________________________

3. ______________________________

4. ______________________________

5. ______________________________

6. ______________________________

7. ______________________________

8. ______________________________

9. ______________________________

10. ______________________________

II. *Date la forma corretta del trapassato prossimo o del trapassato remoto.*

Esempi: (parlare) Noi *avevamo parlato* alla maestra di Emma.

(arrivare) Lui *era arrivato* verso le undici.

1. (finire) Quando lei ________________ la lezione, andò al museo.

2. (comprare) Loro non ________________________ quella casa.

3. (leggere) Voi non ______________________ la Divina Commedia.

4. (ritornare) Il medico ________________________ verso le due.

5. (conoscere) Tu l'__________________________ l'anno scorso a Bologna.

6. (andare) Noi __________________________ là per vederli.

7. (lasciare) Loro non _________________________ i soldi a scuola.

8. (venire) Andrea _______________________ in Italia anni fa.

9. (vendere) Chi _________________________ la Sua villa?

10. (morire) Il poeta _______________________ molti secoli fa.

CLASSE__________ DATA__________ NOME E COGNOME______________________

PARTE D

LEZIONE 24

Usando le illustrazioni e gli esempi come guida, rispondete alle domande seguenti.

Esempi:

Quanti anni ha Sua nonna?
Mia nonna ha ottantadue anni.

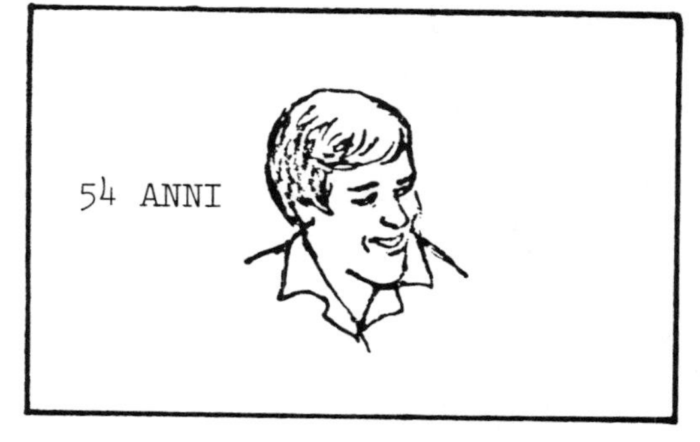

Che età ha vostro padre?
Nostro padre ha cinquanta-quattro anni.

1. Quanti anni ha lo zio di Marco?

____

____

2. Che età ha Suo figlio?

____

____

3. Che etá ha la figlia dei Signori Bianchi?

____

____

4. Quanti anni ha vostro nonno?

____

____

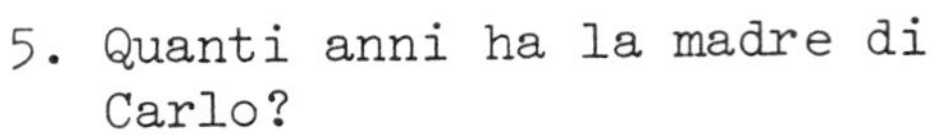

5. Quanti anni ha la madre di Carlo?

____

____

6. Che età ha Lei?

____

____

7. Che età ha tuo fratello?

____

____

8. Quanti anni ha Sua sorella?

____

____

9. Quanti anni ha vostra zia?

____

____

10. Quando nacque Dante Alighieri?

____

____

CLASSE______________ DATA____________ NOME E COGNOME________________________________

PARTE A

LEZIONE 25

I. *Leggete e ascoltate il dialogo seguente.*

Lezione di geografia

Bạrbara è a letto con un terrịbile raffreddore. La sua amica Anna è venuta a farle una vịsita.

ANNA: Buọn giorno, Bạrbara, come ti senti?
BẠRBARA: Non molto bene!
ANNA: Mi dispiace! Cos'hai?
BẠRBARA: Sono raffreddata. È una seccatura!
ANNA: Lo so. Guarda, ecco gli appunti che volevi. E ora scusa se vado via ma come sai fra mezz'ora c'è la lezione di stọria dell'arte.
BẠRBARA: Va' pure! Grạzie degli appunti.
ANNA: Ti pare! Ciao, ti telẹfono stasera.

Rimasta sola la pọvera Bạrbara prende gli appunti della lezione di geografia che la sua amica le ha portato, e fra uno starnuto e l'altro, cerca di lẹggerli.

«In una delle più pịccole città d'Itạlia una persona può, nella stessa giornata, sciare, nuotare nel mare, fare un giro in un aranceto, mangiare in un albergo che una volta era un convento medioevale, o sedere all'aperto e godere lo spettạcolo di un famoso vulcano coperto di neve.

Questa città è Taormina, in Sicịlia, ed è una delle molte città italiane che danno allo straniero l'impressione della varietà della vita in Itạlia. Questa è forse l'impressione più precisa che uno straniero riceve in Itạlia quando ci arriva la prima volta, ed è questa varietà che dà all'Itạlia un carạttere così interessante.

Sarebbe (*It would be*) diffịcile spiegare altrimenti perché ogni anno milioni di stranieri vanno a visitarla. Sarà stata la sua stọria che ha dato all'Itạlia questa varietà? È diffịcile spiegarlo ma è vero che questo è il carạttere più originale di questo paese.

L'Itạlia è una penịsola circondata dal mare e dalle Alpi. Le Alpi, la più grande catena di monti d'Europa, la sepạrano dagli altri paesi d'Europa, mentre gli Appennini la travẹrsano da nord a sud. Il Po è il fiume più grande d'Itạlia...»

Bạrbara contịnua a lẹggere ma è stanca e, a poco a poco, chiude gli occhi e s'addormenta. Che cosa avrà sognato? Taormina? Il mare? Le Alpi? Il Po? Chi sa!

II. *Rispondete alle seguenti domande.*

1. Negli appunti di Anna, qual è la piccola città in Sicilia?
2. Qual è la lezione che Barbara cerca di leggere?
3. Quali monti traversano l'Italia da nord a sud?
4. Qual è l'impressione più precisa che uno straniero riceve in Italia?
5. Quali monti separano l'Italia dal resto dell'Europa?
6. Qual è il fiume più grande d'Italia?
7. Perché Barbara era a letto?
8. Che cosa le ha portato Anna?
9. Perché Anna doveva andare via subito?
10. Perché sarà stata stanca Barbara?

1. ____

2. ____

3. ____

4. ____

5. ____

6. ____

7. ____

8. ____

9. ____

10. ____

CLASSE____________ DATA__________ NOME E COGNOME____________________________

PARTE B

LEZIONE 25

Scrivete le seguenti frasi usando gli esempi come guida.

I. Esempi: Loro ripeteranno la lezione.
Loro avranno ripetuto la lezione.
Parlerà delle Alpi e degli Appenini.
Avrà parlato delle Alpi e degli Appenini.

1. Nuoteranno nel mare.
2. La bambina sarà raffreddata.
3. Vedrai i fiumi e i vulcani.
4. Lo scriverò in italiano.
5. Sarà una seccatura.

1. ____
2. ____
3. ____
4. ____
5. ____

II. Esempi: Noi ci divertiremo a Taormina.
Noi ci saremo divertiti a Taormina.
A poco a poco lei s'addormenterà.
A poco a poco lei si sarà addormentata.

1. Non vi sentirete molto bene.
2. Le ragazze si alzeranno a mezzanotte.
3. Loro si avvieranno verso il convento.
4. Mi riposerò fino a mezzogiorno.
5. Ti vestirai presto.

1. ____
2. ____
3. ____
4. ____
5. ____

Rispondete alle seguenti domande usando gli esempi come guida.

III. Esempi: Posso mettere il libro qui?
Sì, può metterlo qui.
Mario vuole parlare della Sicilia a lui?
Sì, Mario vuole parlargliene.

1. Viene lui per vedere la signorina?
2. Telefona Lei per spiegare a lui la ragione?
3. Volete vendere alla ragazza otto torroni?
4. Desiderano Loro aiutare lo straniero?
5. È possibile parlare a Sergio e Cesare?

1. ______________________________

2. ______________________________

3. ______________________________

4. ______________________________

5. ______________________________

IV. Esempi: È un palazzo importante della piazza?
Sì, è il più importante palazzo della piazza.
È una vecchia città del sud?
Sì, è la più vecchia città del sud.

1. È una statua antica del museo?
2. È uno studente intelligente della classe?
3. È una catena di monti grande d'Europa?
4. È un convento interessante del nord?
5. È un carattere originale di questo paese?

1. ______________________________

2. ______________________________

3. ______________________________

4. ______________________________

5. ______________________________

CLASSE__________ DATA_________ NOME E COGNOME________________________

PARTE C

LEZIONE 25

I. *Il lettore detterà alcune frasi del dialogo. Scrivete le frasi dettate.*

1. ____

2. ____

3. ____

4. ____

5. ____

6. ____

7. ____

8. ____

9. ____

10. ____

II. *Date la forma corretta del futuro anteriore, usando gli esempi come guida.*

Esempi: (addormentarsi) Il bambino *si sarà addormentato.*

(parlare) Lui ce ne *avrà parlato.*

1. (sognare) Loro __________ il viaggio.

2. (cercare) Arnaldo __________ di aiutarla.

3. (lavarsi) Voi non __________ bene.

4. (avere) Sa che io __________ mila dollari.

5. (essere) Tu __________ raffreddata.

6. (venire) La signora non __________ per vederti.

7. (volere) Loro __________ vendercene due.

8. (telefonare) Emma __________ per dirtelo.

9. (spiegare) __________ loro la lezione d'arte.

10. (andare) Le ragazze non __________ al convento.

CLASSE__________ DATA__________ NOME E COGNOME____________________

PARTE D

LEZIONE 25

Prima di completare le frasi nella pagina seguente, studiate bene questa carta geografica d'Italia.

I T A L I A - Carta Fisica

Usando la carta geografica e gli esempi come guida, sceglíete la risposta corretta e completate le frasi.

(a) passa per Firenze e Pisa.
(b) il Vesuvio.
(c) il fiume più grande d'Italia.
(d) le Alpi.
(e) una penisola.
(f) Milano.
(g) dal mare e dalle Alpi.
(h) l'Etna.
(i) a visitare l'Italia.
(j) da nord a sud.
(k) la capitale d'Italia.
(l) una grande città in Sicilia.

Esempi: Palermo è *una grande città in Sicilia.*

Ogni anno milioni di stranieri vanno *a visitare l'Italia.*

1. L'Italia è ____________________

2. Il Po è ____________________

3. Gli Appennini traversano l'Italia ____________________

4. L'Italia è circondata____________________

5. Roma è ____________________

6. Abbiamo studiato che il fiume Arno ____________________

7. In Sicilia c'è un vulcano che è ____________________

8. Una città importante al nord è ____________________

9. La più grande catena di monti d'Europa:____________________

10. Il vulcano nel golfo di Napoli è ____________________

CLASSE____________ DATA__________ NOME E COGNOME____________________________

PARTE A

LEZIONE 26

I. *Leggete e ascoltate il dialogo seguente.*

Lo sport

Giovanni, Enzo, Bạrbara e Anna si sono alzati presto per andare a giocare a tennis. Oggi è domẹnica e non hanno lezioni. Non sono andati tutti insieme però, e Anna ed Enzo arrịvano al campo di tennis diversi minuti prima dei loro amici. Si siẹdono su una panchina e contịnuano a parlare.

ANNA: Sono molti anni che Lei gioca al tennis?

ENZO: Sì, ma non lo gioco molto bene. Mi piacerebbe giocare una volta alla settimana, ma non è sempre possịbile.

ANNA: Ho notato che agl'Italiani lo sport piace molto.

ENZO: È vero; tutti gli sport, ma specialmente le corse di biciclette, di motociclette, di automọbili, e soprattutto il cạlcio. Come in altri paesi europei e dell'Amẹrica del sud il cạlcio in Itạlia ha più «tifosi» di qualsịasi altro sport. Penso che sarà lo stesso in Frạncia.

ANNA: Sì, è prọprio così. A propọsito, due settimane fa Bạrbara ed io siamo andate a una partita di cạlcio.

ENZO: Le è piaciuta?

ANNA: Molto. Avrei preferito andare al cịnema, ma Bạrbara non aveva mai veduto una partita di cạlcio. Come sa, negli Stati Uniti gli studenti universitari sẹguono molto il football, che è molto diverso dal cạlcio.

ENZO: Senta, Anna, dato che Lei è francese, sono certo che Le piạcciono anche le corse di biciclette.

ANNA: Certamente.

ENZO: Anche a me. Durante il mese di mạggio ci sarà la più famosa corsa di biciclette d'Itạlia, il Giro d'Itạlia, e se vuole, andremo a vederlo.

ANNA: Passa per Firenze?

ENZO: L'anno scorso è passato per Firenze, ma quest'anno no. È come il Giro di Frạncia; non passa sempre per le stesse città. Parte sempre da Milano e finisce a Milano; infatti è un *giro*. Ma, naturalmente, non è una corsa senza soste. Quest'anno i corridori si fẹrmano anche a Viarẹggio, e sarebbe interessante andare a vederli arrivare.

ANNA: Grazie, mi piacerebbe molto. Forse potrebbero (*from* potere) venire anche Barbara e Giovanni.

GIOVANNI: Certo! Abbiamo sentito le vostre ultime parole. Ma perché voi vi date ancora del Lei? Io e Barbara ci diamo del tu. Diamoci tutt'e quattro del tu; ormai siamo vecchi amici.

ENZO: Sì, sarebbe l'ora! Ci saremmo dati del tu prima, ma sai com'è! E ora incominciamo la partita.

II. *Rispondete alle seguenti domande.*

1. Perché si sono alzati presto i nostri quattro amici?
2. Arrivano tutti insieme?
3. Enzo gioca al tennis anche durante l'estate?
4. Quali sono due degli sport che preferiscono in Italia?
5. Enzo dice che a Anna devono piacere le corse di biciclette, perché?
6. Passa sempre per le stesse città il Giro d'Italia?
7. Da quale città parte sempre il Giro d'Italia?
8. È una corsa senza soste?
9. Si danno ancora del Lei Barbara e Giovanni?
10. Dove potrebbero venire anche Barbara e Giovanni?

1. ______________________________

2. ______________________________

3. ______________________________

4. ______________________________

5. ______________________________

6. ______________________________

7. ______________________________

8. ______________________________

9. ______________________________

10. ______________________________

CLASSE__________ DATA__________ NOME E COGNOME__________________________

PARTE B

LEZIONE 26

Scrivete le seguenti frasi, usando gli esempi come guida.

I. Esempi: Mi piace giocare al tennis.
Mi piacerebbe giocare al tennis.
Gli parlano della partita di calcio.
Gli parlerebbero della partita di calcio.

1. Quel cameriere ci serve molto bene.
2. Preferisco dare del tu a Giorgio.
3. L'invitiamo volentieri al recevimento.
4. Non ritornano negli Stati Uniti.
5. Lui capisce poco l'italiano.

1. ______________________________
2. ______________________________
3. ______________________________
4. ______________________________
5. ______________________________

II. Esempi: Non sei molto contento.
Non saresti molto contento.
Tutt'e due hanno ragione.
Tutt'e due avrebbero ragione.

1. Il corridore non è stanco.
2. Quei ragazzi hanno paura.
3. Siamo veramente in ritardo.
4. Meno male che Anna non ha sonno.
5. Barbara e Anna sono buone amiche.

1. ______________________________
2. ______________________________
3. ______________________________
4. ______________________________
5. ______________________________

III. Esempi: Preferirei andare al cinema.
<u>Avrei preferito andare al cinema.</u>
Sarebbe lo stesso in Francia.
<u>Sarebbe stato lo stesso in Francia.</u>

1. Non comprerebbero quella panchina.
2. Mi piacerebbe andare alle corse di motociclette.
3. Gli daremmo una nuova bicicletta.
4. Avresti un terribile raffreddore.
5. Rosetta sarebbe una ragazza intelligente.

1. ______________________________

2. ______________________________

3. ______________________________

4. ______________________________

5. ______________________________

IV. Esempi: Mi alzerei presto.
<u>Mi sarei alzato presto.</u>
Gina e Laura si divertirebbero molto.
<u>Gina e Laura si sarebbero divertite molto.</u>

1. Lui si cambierebbe la camicia spesso.
2. Ci addormenteremmo alle undici.
3. Non si laverebbero volentieri.
4. Ti alzeresti sempre in ritardo.
5. Barbara non si sentirebbe bene.

1. ______________________________

2. ______________________________

3. ______________________________

4. ______________________________

5. ______________________________

CLASSE__________ DATA_________ NOME E COGNOME________________________

PARTE C

LEZIONE 26

I. *Il lettore detterà alcune frasi del dialogo. Scrivete le frasi dettate.*

1. ______________________________

2. ______________________________

3. ______________________________

4. ______________________________

5. ______________________________

6. ______________________________

7. ______________________________

8. ______________________________

9. ______________________________

10. ______________________________

II. *Date la forma corretta del condizionale.*

Esempi: (parlare) Io non gliene *parlerei.*

(ripetere) Quando *ripeterebbero* loro la lezione?

1. (avere) ______________ fame alle due i bambini?
2. (essere) Tu non ______________ stanco dopo tutto quello?
3. (piacere) Mi ______________ andare a vedere la partita.
4. (potere) Forse anche loro ______________ venire.
5. (dare) Voi vi ______________ del Lei.
6. (assaggiare) ______________ Loro questa birra?
7. (mangiare) Lei ______________ tutta la bistecca?
8. (capire) Noi non ______________ il cinese.
9. (dimenticare) Tu mi ______________ presto, cara.
10. (visitare) Ernesto ______________ tutti quei paesi.

CLASSE____________ DATA__________ NOME E COGNOME____________________________

PARTE D

LEZIONE 26

PAROLE INCROCIATE - Sciogliete il seguente enigma:

Orizzontali:
2. Il condizionale di "ascolterò".
5. Una bicicletta con motore.
8. L'articolo determininativo per "calcio".
11. Il plurale di "tu".
12. Non ieri, non oggi, ma ______________
14. L'italiano per "they would speak".
17. Il presente del verbo: "Lui __________ il benvenuto".
19. Il condizionale di "ritorni".

Verticali:

1. La parola italiana per "now, by now".
3. Non quest'anno ma l'anno ____________
4. Una persona dell'Italia.
6. Il plurale di "mi".
7. La parola italiana per "tables".
9. Non abbia ____________! La strada è buona.
10. Il singolare di "vi".
12. Non prima, non dopo, ma ____________
13. Il verbo inglese è "to open".
15. Un'altra parola per "e".
16. Non male ma ____________
18. La sorella di Suo padre.
20. La negazione.
21. La parola italiana per "king".
22. Il singolare di "sappiamo".

CLASSE__________ DATA__________ NOME E COGNOME__________

PARTE A

LEZIONE 27

I. *Leggete e ascoltate il dialogo seguente.*

Carnevale

ANNA: Sbrigati! Fra poco arriveranno Enzo e Giovanni.

BARBARA: Prendo i guanti e sono pronta. Porti l'impermeabile tu?

ANNA: Sì, sarà meglio. Non piove più ora, ma tira vento e non si sa mai.

BARBARA: A proposito, come si chiama il ballo di stasera?

ANNA: Si chiama «Veglione»; durerà quasi tutta la notte. Oggi è martedì grasso, l'ultimo giorno di Carnevale.

BARBARA: Ho letto che in Italia il Carnevale ebbe una splendida tradizione a Venezia, Roma, Torino e Firenze. A Firenze durante il Rinascimento si facevano mascherate su carri come quelle che oggi si fanno a Viareggio.

ANNA: Credi che i nostri costumi piaceranno agli amici?

BARBARA: Ne sono sicura; vedrai come saranno sorpresi.

ANNA: Chi sa che costumi avranno comprato loro...

BARBARA: Il campanello! Saranno loro...

Infatti la cameriera viene a chiamarle. Barbara è vestita da Arlecchino e Anna da Colombina. Le due ragazze entrano in salotto dove Enzo e Giovanni le aspettano.

ENZO: Caspita, come siete belle! Sembrate due maschere della Commedia dell'Arte.

BARBARA: E voi chi siete?

GIOVANNI: Chi siamo? Non si vede? Io sono Pulcinella e Enzo è Pantalone.

BARBARA: Veramente si direbbe che sembri un pagliaccio.

GIOVANNI: Grazie tanto! Be', è Carnevale e come si dice, «A Carnevale ogni scherzo vale!»

ENZO: Allora, si va?

ANNA: Sì, sì, andiamo! Fa ancora freddo?

ENZO: Sì, molto. Sono sicuro che nevicherà.

GIOVANNI: Macché! Che tempo strano; ieri faceva quasi caldo.

BARBARA: Si vede che anche il tempo festeggia il Carnevale e scherza anche lui.

ENZO: Le maschere! Non le dimentichiamo!
ANNA: Non aver paura! Non si può andare al Veglione senza maschera.

I quattro giovani escono, a braccetto, e si avviano verso l'albergo dove avrà luogo il Veglione.

II. *Rispondete alle seguenti domande.*

1. Quando si festeggia il Carnevale?
2. Che cosa è un Veglione?
3. Qual è l'ultimo giorno di Carnevale?
4. Come era vestita Anna?
5. È una tradizione dei nostri giorni il Carnevale?
6. Cosa si fa oggi a Viareggio?
7. Che cosa sembrano Barbara e Anna quando entrano in salotto?
8. Come erano vestiti Giovanni e Enzo?
9. Che cosa è un pagliaccio?
10. Quando diciamo che il tempo scherza?

1. ____________________

2. ____________________

3. ____________________

4. ____________________

5. ____________________

6. ____________________

7. ____________________

8. ____________________

9. ____________________

10. ____________________

CLASSE__________ DATA__________ NOME E COGNOME______________________

PARTE B

LEZIONE 27

Scrivete le seguenti frasi, usando gli esempi come guida.

I. Esempi: Dicono che farà molto caldo domani.
Si dice che farà molto caldo domani.
Parlano italiano a casa.
Si parla italiano a casa.

1. Vedono il mare dall'albergo.
2. Come dicono questa parola in francese?
3. Qui parlano inglese.
4. Mangiano bene in quel ristorante.
5. Leggono ad alta voce in classe.

1. ______________________________
2. ______________________________
3. ______________________________
4. ______________________________
5. ______________________________

II. Esempi: Non ripetono le bugie.
Non si ripetono le bugie.
Non leggono bene le parole della cartolina.
Non si leggono bene le parole della cartolina.

1. Non comprano quei mazzi di fiori.
2. Non dimenticano le maschere della Commedia dell'Arte.
3. Non mangiano gli spaghetti a casa sua.
4. Non dicono molte cose.
5. Non vedono gli alberi dalla finestra.

1. ______________________________
2. ______________________________
3. ______________________________
4. ______________________________
5. ______________________________

III. Esempi: Il cameriere porta la lista.
<u>La lista è portata dal cameriere.</u>
Il professore spiega il romanzo.
<u>Il romanzo è spiegato dal professore.</u>

1. La Befana porta molti regali.
2. Enzo e Mario lavano l'automobile.
3. La sarta fa tutti i costumi.
4. Mia madre compra questi guanti neri.
5. Vediamo la folla in piazza.

1. ______________________________

2. ______________________________

3. ______________________________

4. ______________________________

5. ______________________________

IV. Esempi: Il ragazzo non ha studiato bene la lezione.
<u>La lezione non è stata studiata bene dal ragazzo.</u>
Giorgio non ha comprato le maschere.
<u>Le maschere non sono state comprate da Giorgio.</u>

1. La signorina non ha dimenticato il passaporto.
2. Anna e Barbara non hanno salutato Giorgio.
3. L'impiegato non ha venduto l'impermeabile.
4. Il pianista non ha suonato quella musica classica.
5. Valentina non ha mangiato il torrone.

1. ______________________________

2. ______________________________

3. ______________________________

4. ______________________________

5. ______________________________

CLASSE__________ DATA__________ NOME E COGNOME______________________

PARTE C

LEZIONE 27

I. *Il lettore detterà alcune frasi del dialogo. Scrivete le frasi dettate.*

1. ______________________________

2. ______________________________

3. ______________________________

4. ______________________________

5. ______________________________

6. ______________________________

7. ______________________________

8. ______________________________

9. ______________________________

10. ______________________________

II. *Cambiate le frasi seguenti alla forma passiva.*

Esempi: Mario venderà i biglietti.
I biglietti saranno venduti da Mario.
Lui leggerà la storia di Roma.
La storia di Roma sarà letta da lui.

1. Il maestro ripeterà la lezione d'italiano.

____

2. Tu riceverai le mie cartoline.

____

3. Le sarte faranno i vestiti per il Carnevale.

____

4. L'artista canterà molte canzoni americane.

____

5. Tutti vedrano la corsa di biciclette.

____

6. Il medico farà tutte le visite.

____

7. Non scriveremo la lettera al rettore.

____

8. La Befana porterà molti regali ai bambini.

____

9. Lo studente mi aprirà la porta.

____

10. Tutti cambieranno le frasi alla forma passiva.

____

CLASSE__________ DATA_________ NOME E COGNOME______________________

PARTE D

LEZIONE 27

Usando le illustrazioni e gli esempi come guida, rispondete alle domande seguenti.

Esempi

Che tempo fa?

(a) Nevica ora.
(b) Ha nevicato oggi.
(c) Nevicherà domani.
(d) Nevicava sempre.

Che tempo fa?

(a) Piove ora.
(b) Ha piovuto oggi.
(c) Pioverà domani.
(d) Pioveva sempre.

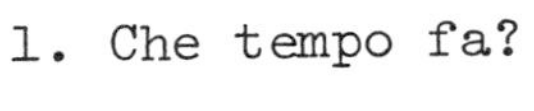

1. Che tempo fa?

(a) ____________________

(b) ____________________

(c) ____________________

(d) ____________________

2. Che tempo fa?

(a) ____________________

(b) ____________________

(c) ____________________

(d) ____________________

3. Che tempo fa?

(a) ____________________

(b) ____________________

(c) ____________________

(d) ____________________

4. Che tempo fa?

(a) ____________________

(b) ____________________

(c) ____________________

(d) ____________________

5. Che tempo fa?

(a) ____________________

(b) ____________________

(c) ____________________

(d) ____________________

CLASSE__________ DATA__________ NOME E COGNOME______________________

PARTE A

LEZIONE 28

I. *Leggete e ascoltate il dialogo seguente.*

Pasqua *Oggi è Pạsqua. Come Natale, Pạsqua è una delle maggiori feste religiose ed è festeggiata in tutto il mondo cristiano. Dato che Pạsqua viene sempre in primavera, di sọlito durante la Settimana Santa fa bel tempo, e le vie sono affollate. Oggi è un giorno speciale per i fiorentini, perché la domẹnica di Pạsqua a Firenze ha luogo uno dei maggiori spettạcoli dell'anno: lo Scọppio del Carro. Lo Scọppio del Carro è una cerimọnia medioevale che ha luogo in Piazza del Duomo davanti alla chiesa di Santa Maria del Fiore. A mezzogiorno in punto in chiesa si accende la «Colombina,» una colomba artificiale, che vola lungo un filo e va fuori dị chiesa fino a un carro che è in mezzo alla piazza. Il carro è decorato di fuochi artificiali, e quando arriva la «Colombina» si sente un forte scọppio. La «Colombina» contịnua a volare e ritorna in chiesa. Se tutto va bene, tutti sono felici. Naturalmente, la piazza e la chiesa sono piene di persone che sono venute per vedere la cerimọnia.*

Come abbiamo detto, oggi è Pạsqua, e Bạrbara e Giovanni s'incọntrano davanti alla pensione di Bạrbara.

GIOVANNI: Volevo telefonarti per dirti che sarei venuto un po'più presto, ma la tua lịnea era occupata.

BẠRBARA: Ieri ho veduto Anna e le ho detto che le avrei telefonato stamani prima delle ụndici. È per questo che la mia lịnea era occupata.

GIOVANNI: Prendiamo questa via a sinistra, e passiamo per Piazza San Lorenzo; c'è meno gente.

BẠRBARA: Senti, io preferirei passare per Piazza della Repụbblica. Lì vicino c'è una pasticceria dove hanno in vetrina un uovo di cioccolata che è prọprio bello. Va bene?

GIOVANNI: Sì, sì. Anche in Amẹrica avete le uova di cioccolata per Pạsqua?

BẠRBARA: Sì, ma non sono né così grandi né così belle come quelle che ho veduto qua. Però, voi in Itạlia non avete l'*Easter Bunny*.

GIOVANNI: *Easter Bunny*? E cos'è?

BẠRBARA: Il conịglio di Pạsqua.

GIOVANNI: Ah! In Amẹrica mangiate il conịglio per Pạsqua?

BẠRBARA: No, no! Il conịglio, specialmente per i bambini, è come le uova, un sịmbolo di Pạsqua.

GIOVANNI: Quị in Itạlia no. Quị, come avrai notato in qualche cartolina, il sịmbolo di Pạsqua è l'agnello e, naturalmente, anche le uova. Il giorno di Pasqua tutti mangiano le uova sode e molti anche l'agnello.

BARBARA: Paese che vai, usanza che trovi! È un gran mondo.

GIOVANNI: Ecco Piazza San Giovanni. San Giovanni era un gran santo! Era il migliore di tutti i santi!

BARBARA: Sì, un gran santo, certamente. Ma non tutti quelli che si chiamano Giovanni...

GIOVANNI: Basta, basta! Ora cerchiamo Enzo e Anna.

BARBARA: Non li vedo. Non saranno ancora arrivati. Aspettiamo a quest'angolo. Tu l'hai veduto molte volte lo Scoppio del Carro?

GIOVANNI: Sì. Venni a vederlo per la prima volta con il mio fratello maggiore quand'avevo tre anni; e dopo, quasi ogni anno. Una volta lo Scoppio del Carro aveva luogo il Sabato Santo, però. Vedrai com'è bello!

II. *Rispondete alle seguenti domande.*

1. Come si chiama la settimana che viene prima di Pasqua?
2. Mangiamo l'agnello il giorno di Pasqua in America?
3. Dove ha luogo lo Scoppio del Carro?
4. Vogliono prendere la stessa via Barbara e Giovanni per andare a Piazza del Duomo?
5. Perché era occupata la linea di Barbara quando Giovanni l'ha chiamata?
6. Che cosa si vede sulle cartoline di Pasqua americane?
7. Perché Giovanni dice che San Giovanni era un gran santo?
8. Quando vide Giovanni lo Scoppio del Carro per la prima volta?
9. Con chi venne Giovanni a vederlo?
10. Perché Giovanni vuol prendere la via a sinistra?

1. ______________________________

2. ______________________________

3. ______________________________

4. ______________________________

5. ______________________________

6. ______________________________

7. ______________________________

8. ______________________________

9. ______________________________

10. ______________________________

CLASSE__________ DATA__________ NOME E COGNOME______________________

PARTE B

LEZIONE 28

Scrivete le frasi seguente, usando gli esempi come guida.

I. Esempi: Questa frutta è buona, ma ...
Questa frutta è buona, ma quella è migliore.
Quest'uovo è piccolo, ma ...
Quest'uovo è piccolo, ma quello è più piccolo.

1. Questo libro è grande, ma ...
2. Questo agnello è cattivo, ma ...
3. Questo mio fratello è grande, ma ...
4. Questa minestra è buona, ma ...
5. Questa Sua sorella è piccola, ma ...

1. ______________________________
2. ______________________________
3. ______________________________
4. ______________________________
5. ______________________________

II. Esempi: Lui sta male, ma lei ...
Lui sta male, ma lei sta peggio.
Giovanni studia poco, ma Barbara ...
Giovanni studia poco, ma Barbara studia meno.

1. Loro scrivono l'italiano bene, ma tu ...
2. Noi abbiamo dormito bene, ma lui ...
3. Enzo legge poco, ma Luisa ...
4. Io vedo poco da qui, ma Lei ...
5. In questo ristorante si mangia male, ma in quello ...

1. ______________________________
2. ______________________________
3. ______________________________
4. ______________________________
5. ______________________________

III. Esempi: Francesco (santo); ripeto, è ...
Francesco (santo); ripeto, è San Francesco.
Il maestro (grande); ripeto, è ...
Il maestro (grande); ripeto, è un gran maestro.

1. La pianista (grande); ripeto, è ...
2. Stefano (santo); ripeto, è ...
3. Lo zero (grande); ripeto, è ...
4. Giuseppe (santo); ripeto, è ...
5. Maria (santa); ripeto, è ...

1. ______________________________

2. ______________________________

3. ______________________________

4. ______________________________

5. ______________________________

IV. Esempi: Volevo andare alla festa.
Volli andare alla festa.
Enzo veniva per vedere Lo Scoppio del Carro.
Enzo venne per vedere Lo Scoppio del Carro.

1. Volevano vedere la Colombina.
2. Venivamo per ballare fino alle due.
3. Volevi alzarti presto.
4. Venivate per studiare l'italiano.
5. Volevamo andare anche noi.

1. ______________________________

2. ______________________________

3. ______________________________

4. ______________________________

5. ______________________________

CLASSE__________ DATA__________ NOME E COGNOME________________________

PARTE C

LEZIONE 28

I. *Il lettore detterà alcune frasi del dialogo. Scrivete le frasi dettate.*

1. ______________________________

2. ______________________________

3. ______________________________

4. ______________________________

5. ______________________________

6. ______________________________

7. ______________________________

8. ______________________________

9. ______________________________

10. ______________________________

II. *Date la forma corretta del passato remoto:*

Esempi: (venire) Carla ____*venne*____ da Milano.

(essere) Lo scoppio del carro ____*fu*____ interessante.

1. (avere) L'Italia ______________ un re durante quel periodo.
2. (volere) Io ______________ partire prima di mezzanotte.
3. (venire) Loro ______________ a Firenze per studiare.
4. (essere) Tutti questi paesi ______________ cristiani.
5. (vedere) Voi non ______________ il telegramma?
6. (parlare) Noi gli ______________ al telefono.
7. (ripetere) Mario le ______________ la stessa cosa.
8. (avere) I miei genitori ______________ un invitato.
9. (essere) Umberto e Claudio ______________ in ritardo.
10. (volere) Voi non ______________ andare a scuola.

CLASSE__________ DATA__________ NOME E COGNOME______________________

PARTE D

LEZIONE 28

Usando le illustrazioni e gli esempi come guida, leggete le seguenti frasi e poi scrivete la frase adatta sotto ogni illustrazione.

(a) La colomba artificiale vola lungo un filo.
(b) Di solito non prendo vino, ma questa volta lo prenderò.
(c) C'è una pasticceria dove hanno le uova di cioccolata.
(d) Però, voi in Italia non avete l'Easter Bunny.
(e) San Francesco era un gran santo.
(f) Ecco il simbolo di Pasqua: le uova sode.
(g) Questa frutta è più buona.
(h) Si guardava in un grande specchio.
(i) Questo ragazzo è più piccolo di suo fratello.
(j) Volle partire prima delle tre.
(k) Volevamo mangiare, ma il ristorante era chiuso.
(l) Volevo telefonarti, ma la tua linea era occupata.

Esempi:

(d) Però, voi in Italia non avete l'Easter Bunny.

(k) Volevamo mangiare, ma il ristorante era chiuso.

1. ______________________________

____

2. ______________________________

____

3. ____

____

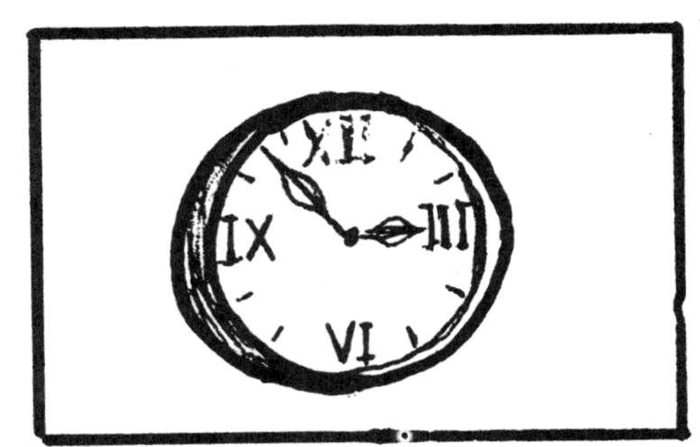

4. ____

____

5. ____

____

6. ____

____

7. ____

____

8. ____

____

9. ____

____

10. ____

____

CLASSE__________ DATA__________ NOME E COGNOME______________________

PARTE A

LEZIONE 29

I. *Leggete e ascoltate il dialogo seguente.*

Alla spiaggia

I corsi di primavera ẹrano finiti da qualche giorno, e Bạrbara e Anna volẹvano andare a passare una settimana al mare. Ma dove? Bạrbara voleva andare a una spiạggia lungo la Riviera: Alạssio, Portofino, Rapallo, non importava dove. Anna, invece, preferiva una spiạggia sul Mare Adriạtico: Rịmini, Riccione, Senigạllia... «Perché non andiamo al Lido di Venẹzia?» dịsse un giorno. Ma Bạrbara era già stata a Venẹzia, e avrebbe preferito andare in un posto nuovo. Quando Enzo domandò loro dove contạvano di andare, le ragazze gli dịssero che non avẹvano ancora deciso niente. «Perché non andate a Riccione? È così bella!» disse Enzo. «C'è un mare meraviglioso, e una spiạggia incantẹvole.» E così fẹcero. Un bel giorno comprạrono due biglietti di seconda e andạrono a Riccione. Dato che dovẹvano passare per Bologna, si fermạrono in quella simpạtica città, dove c'è un'università famosa in tutto il mondo. L'università di Bologna è la più antica università d'Europa: fu fondata nel 1076. Quando arrivạrono a Riccione era già tardi e andạrono sụbito a una pensione che era stata raccomandata loro da Enzo.

La mattina seguente il tempo era incantẹvole; si alzạrono presto e dopo la prima colazione andạrono sulla spiạggia. Parlạrono di tante cose, e dịssero anche quẹl che sẹgue.

ANNA: Questo è un bel posto, Bạrbara. Sdraiạmoci quị. Per il momento non c'è gente, ma più tardi vedrai che folla! Che fai?

BẠRBARA: Mi sto mettendo della crema sul viso. Mi piace la tintarella, come dịcono quạ, ma non vọglio bruciarmi la pelle.

ANNA: Parlando di tintarella, tu ti abbronzi facilmente?

BẠRBARA: Sì. Come molte bionde, mi abbronzo in pochi giorni. E tu?

ANNA: Io no. Come alcune brune ho la pelle così bianca che devo stare attenta a non prẹndere troppo sole.

BẠRBARA: Hai notato che la sạbbia si sta riscaldando?

ANNA: Che ore sono? Io ho dimenticato l'orolọgio alla pensione.

BẠRBARA: Le ụndici. Siamo quị da due ore. Andiamo in ạcqua?

ANNA: Andiamo. Poi ci asciugheremo su questa bella sạbbia. Il tuo costume da bagno è veramente carino. L'hai portato dall'Amẹrica?

BẠRBARA: No. L'ho comprato a Firenze. Anche il tuo è molto carino. È francese?

ANNA: Sì. L'ho comprato l'anno scorso.

BẠRBARA: Andiamo in ạcqua, fa caldo sulla spiạggia.

II. *Rispondete alle seguenti domande.*

1. Dove volevano andare Barbara e Anna?
2. Perché decidono di andare a Riccione?
3. Andarono a Riccione senza fermarsi?
4. Che cosa c'è a Bologna?
5. Quando fu fondata l'Università di Bologna?
6. Quando andarono sulla spiaggia le due amiche?
7. C'era molta gente quando arrivarono?
8. Perché non si abbronza facilmente Anna?
9. Perché non sapeva che ora era Barbara?
10. Da quanto tempo erano sulla spiaggia quando sono andate in acqua?

1. ____

2. ____

3. ____

4. ____

5. ____

6. ____

7. ____

8. ____

9. ____

10. ____

CLASSE__________ DATA__________ NOME E COGNOME____________________

PARTE B

LEZIONE 29

Scrivete le frasi seguente, usando gli esempi come guida.

I. Esempi: Ho fatto una lunga conferenza.
Feci una lunga conferenza.
Abbiamo detto che abitavamo negli Stati Uniti.
Dicemmo che abitavamo negli Stati Uniti.

1. Mario ha fatto colazione con suo fratello.
2. Ho detto che era una bugia.
3. Hanno fatto un giro per il salone.
4. Lui ha detto che l'avrebbe fatto.
5. Gl'impiegati hanno detto che non erano felici.

1. ____________________
2. ____________________
3. ____________________
4. ____________________
5. ____________________

II. Esempi: Sono quattro mesi che la conosco.
La conosco da quattro mesi.
Erano molti anni che non mi scriveva.
Non mi scriveva da molti anni.

1. È quasi un'ora che l'aspetto.
2. Sono sei settimane che Gina ha una bicicletta.
3. Erano due anni che conosceva Portofino.
4. Erano sette anni che abitava in quella villa.
5. Era un mese che Candida non ci parlava.

1. ____________________
2. ____________________
3. ____________________
4. ____________________
5. ____________________

Rispondete alle seguenti domande, usando gli esempi come guida.

III. Esempi: Che cosa fate, ascoltate la radio?
Sì, stiamo ascoltando la radio.
Che cosa facevi, andavi in acqua?
Sì, stavo andando in acqua.

1. Che cosa fai, scrivi a tua sorella?
2. Che cosa faceva, si sdraiava sulla sabbia?
3. Che cosa fanno, si abbronzano al sole?
4. Che cosa facevano, rivedevano le cartoline di Natale?
5. Che cosa fa, aspetta il filobus?

1. ______________________________

2. ______________________________

3. ______________________________

4. ______________________________

5. ______________________________

IV. Esempi: Impara Lei molto quando legge il libro?
Sì, leggendolo, imparo molto.
Si divertono Loro quando ascoltano la musica?
Sì, ascoltandola, ci divertiamo.

1. Studia Lei quando guarda le riviste?
2. Riconosce Lei mio figlio quando lo vede?
3. Imparano Loro molto quando fanno una conferenza?
4. Si mettono Loro la crema quando ci vanno?
5. Vede Lei le nuove regole quando scrive l'italiano?

1. ______________________________

2. ______________________________

3. ______________________________

4. ______________________________

5. ______________________________

CLASSE__________ DATA__________ NOME E COGNOME____________________

PARTE C

LEZIONE 29

I. *Il lettore detterà alcune frasi del dialogo. Scrivete le frasi dettate.*

1. ____
2. ____
3. ____
4. ____
5. ____
6. ____
7. ____
8. ____
9. ____
10. ____

II. *Date la forma corretta del gerundio.*

Esempi: (studiare) Non stiamo *studiando* ora.

(arrivare) *Arrivando* alla stazione, la vidi.

1. (camminare) __________ per la piazza, la incontrai.

2. (assaggiare) Stavamo __________ la frutta.

3. (leggere) S'impara molto __________ questo libro.

4. (avere) __________ mangiato, incominciarono a studiare.

5. (essere) __________ giovane, s'addormentò facilmente.

6. (guardare) Stavo __________ il giornale, capisci?

7. (scherzare) Ma Lei sta __________, non è vero?

8. (scrivere) Stiamo __________ questa lezione.

9. (andare) __________ alla spiaggia, lo vedemmo.

10. (abbronzarsi) Stavamo __________ troppo.

CLASSE__________ DATA__________ NOME E COGNOME______________________

PARTE D

LEZIONE 29

Usando le illustrazioni e gli esempi come guida, rispondete alle seguenti domande; date sempre la forma corretta del gerundio.

Che cosa fate?
Stiamo passando un mese al mare.

Che cosa fa Barbara?
Barbara sta tuffandosi.

1. Che cosa fa questa studentessa?

2. Che cosa fa Anna?

3. Che cosa fa lei?

4. Che cosa fai?

5. Che cosa fanno Loro?

6. Che cosa fa Giorgio?

7. Che cosa fa la signorina?

8. Che cosa fa questa ragazza?

9. Che cosa fa la ragazza?

10. Che cosa fa il signore?

CLASSE__________ DATA__________ NOME E COGNOME__________________

PARTE A

LEZIONE 30

I. *Leggete e ascoltate il dialogo seguente.*

Cena d'addio

BARBARA: A che ora parte il treno?

ANNA: Non sono sicura, ma credo che parta alle dieci e venti.

BARBARA: Benissimo. Ho ancora tempo di fare il bagno.

ANNA: Sì, ma sbrigati. Nel frattempo vado a pagare il conto per la camera e comprerò un giornale e un paio di riviste.

Le due signorine stanno per lasciare Riccione. È stata una vacanza meravigliosa, una settimana magnifica; e le ragazze non dimenticheranno facilmente il cielo azzurro e il bel mare di quella spiaggia. Ma ora è necessario che ritornino a Firenze per fare le valige e per salutare gli amici. Il loro soggiorno in Italia sta per finire e hanno deciso di passare le ultime settimane visitando Roma e qualche città dell'Italia meridionale.

Alla stazione di Firenze le aspettano Enzo e Giovanni.

ENZO: Ben tornate! Vi siete divertite?

ANNA: Tanto! Che bel posto—voglio assolutamente ritornarci un giorno.

GIOVANNI: Spero che vi siate riposate.

BARBARA: Sì, ma ora bisogna fare tante cose.

ENZO: Andate subito alla pensione?

BARBARA: Sì, ma prima bisogna che mi fermi all'American Express—sono ritornata senza un soldo e devo riscuotere un assegno. Credo che il dollaro sia leggermente salito.

GIOVANNI: Prendiamo un tassì allora! Quando avete deciso di partire da Firenze?

BARBARA: Domani mattina. Sembra impossibile che questo sia il mio ultimo giorno a Firenze!

ENZO: Sarà meglio non pensarci.

ANNA: È vero! A proposito, è ritornato il professor Bianchi?

GIOVANNI: Non credo che sia ancora ritornato.

ENZO: No. Ed ho paura che non ritornerà fino alla settimana ventura.

ANNA: Peccato! Mi sarebbe piaciuto rivederlo. Ad ogni modo, mi raccomando, Enzo, vọglio che tu lo saluti da parte mia.

ENZO: Non ti preoccupare, lo farò!

ANNA: E saluta anche sua mọglie e sua figlia. Sono tanto gentili!

Il tassì è ormai arrivato all'American Express.

GIOVANNI: Allora noi vi lasciamo quị—ci rivedremo stasera per la cena d'addio.

BẠRBARA: Alle otto, è vero?

GIOVANNI: Sì, ciao.

ANNA, BẠRBARA, ENZO: Ciao!

II. *Rispondete alle seguenti domande.*

1. Dov'è Riccione?
2. Si sono divertite Barbara e Anna al mare?
3. Perchè è necessario che ritornino a Firenze?
4. Chi le aspetta alla stazione?
5. Perché Barbara vuole fermarsi all'American Express?
6. Che avrebbe voluto rivedere Anna prima di lasciare Firenze?
7. A che ora ha avuto luogo la cena d'addio?
8. Dove passeranno le ultime settimane in Italia le due amiche?
9. Sono contente le signorine di lasciare l'Italia?
10. A che ora partiva il treno delle due amiche?

1. ____

2. ____

3. ____

4. ____

5. ____

6. ____

5. ____

6. ____

7. ____

8. ____

9. ____

10. ____

CLASSE____________ DATA__________ NOME E COGNOME______________________________

PARTE B

LEZIONE 30

Rispondete alle domande seguenti, usando gli esempi come guida.

I. Esempi: Sono in viaggio loro?
Credo che siano in viaggio.
Ha paura lui del cane?
Credo che abbia paura del cane.

1. Il bambino dorme tutta la notte?
2. Vedono loro la moglie di Giovanni?
3. Prende Mario il tram per andare a casa?
4. Telefona lei a suo figlio?
5. Giorgio chiama il cameriere?

1. ______________________________
2. ______________________________
3. ______________________________
4. ______________________________
5. ______________________________

II. Esempi: Cesare scrive bene l'italiano?
Dubito che scriva bene l'italiano.
Hanno loro tanti soldi in banca?
Dubito che abbiano tanti soldi in banca.

1. È lui stanco?
2. Scherzano molto loro?
3. Sorride sempre la signorina?
4. Ha sete lei?
5. Abitano loro in Inghilterra?

1. ______________________________
2. ______________________________
3. ______________________________
4. ______________________________
5. ______________________________

Scrivete le frasi seguenti, usando gli esempi come guida.

III. Esempi: Lui non dorme mai.
<u>È possibile che lui non dorma mai?</u>
Giorgio ha un raffreddore.
<u>È possibile che Giorgio abbia un raffreddore?</u>

1. La moglie di Carlo parte sola.
2. Lui decide subito.
3. Loro accendono il fuoco.
4. Tu finisci tutta la frutta.
5. Maria non mi telefona.

1. ______________________________

2. ______________________________

3. ______________________________

4. ______________________________

5. ______________________________

IV. Esempi: Gina si alza presto.
<u>Desidero che Gina si alzi presto.</u>
Lei legge il giornale tutti i giorni.
<u>Desidero che Lei legga il giornale tutti i giorni.</u>

1. Lei nota lo sbaglio.
2. I miei figli passano le vacanze in Italia.
3. Lui ci crede.
4. Tu ascolti tua nonna.
5. Voi ritornate subito.

1. ______________________________

2. ______________________________

3. ______________________________

4. ______________________________

5. ______________________________

CLASSE__________ DATA________ NOME E COGNOME______________________

PARTE C

LEZIONE 30

I. *Il lettore detterà alcune frasi del dialogo. Scrivete le frasi dettate.*

1. ______________________________

2. ______________________________

3. ______________________________

4. ______________________________

5. ______________________________

6. ______________________________

7. ______________________________

8. ______________________________

9. ______________________________

10. ______________________________

II. *Date la forma corretta del congiuntivo usando gli esempi come guida.*

Esempi: (capire) Dubito che lui mi *capisca.*

(ripetere) È necessario che Lei lo *ripeta.*

1. (cercare) Desideriamo che lui ci ________
2. (parlare) Tua madre vuole che noi ________ piano.
3. (credere) È possibile che loro vi ________
4. (avere) Non sanno che tu lo ________ finito.
5. (essere) Loro pensano che Paolo ________ al mare.
6. (preferire) Credo che loro ________ riposarsi.
7. (dormire) Ho paura che mio figlio ________ poco.
8. (finire) Loro dubitano che tu lo ________ oggi.
9. (telefonare) Umberto vuole che io gli ________
10. (essere) Non sa che lui ________ in vacanza.

CLASSE____________ DATA__________ NOME E COGNOME____________________________

PARTE D

LEZIONE 30

PAROLE NASCOSTE (Hidden Words) -

Sciogliete l'enigma facendo il seguente:
(a) Leggete le frasi numerate;
(b) Completatele con il verbo nel congiuntivo;
(c) Cercate e indicate dette parole nascoste, usando gli esempi come guida.

A	T	E	V	L	O	E	T	A	I	S	A	I
H	C	A	I	O	E	F	L	Z	A	P	E	S
P	U	A	R	S	R	G	E	S	I	A	N	O
S	L	B	P	E	U	A	G	S	C	O	A	R
O	I	B	C	I	P	T	I	A	B	N	C	P
P	A	R	L	I	S	L	R	P	N	D	S	U
A	S	O	F	I	L	C	L	Y	T	O	I	E
R	E	N	O	V	Y	G	A	F	E	M	P	L
T	E	Z	A	I	O	F	B	N	S	I	A	I
A	C	I	A	R	E	Z	B	A	O	Q	C	E
O	T	S	T	R	T	I	I	S	E	A	F	L
Z	A	P	N	A	S	T	A	A	T	T	E	M

Esempi: 1. Desideriamo che Loro ______________ (leggere) le frasi.
Desideriamo che Loro *leggano* le frasi.
2. È importante che tu ______________ (arrivare) subito.
È importante che tu *arrivi* subito.

PAROLE NASCOSTE -

1. È necessario che io _______________ (partire) prima delle due.

2. È possibile che lui non ci _________________(capire).

3. Credo che Mario ci ___________________(avere) sentito.

4. Giorgio non crede che voi _________________ (essere) americani.

5. Dubito che loro _________________(essere) fratelli.

6. Non so se loro __________________ (capire) l'uso del congiuntivo.

7. Spero che Enzo si __________________(mettere) la cravatta.

8. Dubitiamo che Anna si __________________ (abbronzare) facilmente.

9. Non vogliamo che tu _________________ (parlare) così.

10. Abbiamo paura che nostra figlia _______________ (essere) ammalata.

CLASSE__________ DATA__________ NOME E COGNOME______________________

PARTE A

LEZIONE 31

I. *Leggete e ascoltate il dialogo seguente.*

Viaggio in autobus

Bạrbara e Anna sono partite stamani presto in ạutobus per Roma. È un viạggio piuttosto lungo che richiederà tutta la giornata. Ieri sera hanno salutato tutti gli amici, eccetto Giovanni e Enzo, i quali le raggiungeranno più tardi a Roma qualche giorno prima della loro partenza dall'Itạlia.

Sono le tre del pomerịggio e l'ạutobus corre per la campagna a sud di Assisi. Prima di Assisi l'ạutobus ha fatto due fermate, una ad Arezzo e una a Perụgia. Ad Arezzo, che non è molto lontano da Firenze, le ragazze hanno potuto vedere i begli affreschi di Piero della Francesca (1410–1492) che sono nella chiesa di San Francesco. A Perụgia, dove sono arrivate verso mezzogiorno, hanno avuto il tempo di mangiare in un pịccolo ristorante e di fare un breve giro per la città. Sono anche andate a vedere la grande fontana nella piazza principale e il gran palazzo dove c'è l'Università per Stranieri, poiché anche Perụgia ha un famoso centro di studi per gli stranieri. Infatti, la sorella maggiore di Anna ha studiato a Perụgia. Dopo Perụgia l'ạutobus s'è fermato per quasi un'ora ad Assisi, e i passeggieri sono andati a visitare la bellịssima chiesa di San Francesco dove una guida ha fatto vedere loro i famosi affreschi di Giotto. Ora l'ạutobus corre velocemente verso la capitale, e le due ragazze contịnuano a conversare.

BẠRBARA: Quest'ạutobus è assai cọmodo. Io credo che in Itạlia alcuni ạutobus sịano più cọmodi dei treni. Questo ha anche l'ạria condizionata.

ANNA: Hai ragione ma il treno è più veloce. Scusa, ma ieri ti sei lavata i capelli?

BẠRBARA: No. Avrei potuto lavarli io, ma me li sono fatti lavare dal parrucchiere. L'ạcqua di mare e il sole me li avẹvano rovinati.

ANNA: Hai ragione. Io me li farò lavare a Roma. Dimmi, hai comprato dei cioccolatini a Perụgia?

BẠRBARA: Sì. Ẹccoli, ne vuoi?

ANNA: No, non li vọglio mangiare adesso. Volevo saperlo perché so che sono ọttimi.

BẠRBARA: Dove ci fermeremo a Roma? Giovanni mi ha dato l'indirizzo di due pensioni e di un buọn albergo di seconda categoria.

ANNA: Non so che cosa dirti. In ogni modo, non ti preoccupare. Ci fermeremo all'albergo; è vicino a Piazza Navona.

BARBARA: Prenderemo un tassì. Io non so proprio dove sia Piazza Navona.

ANNA: Eccoci a Roma! Vedi fra quegli alberi la cupola di San Pietro?

BARBARA: Meno male! È stato un viaggio piuttosto lungo.

II. *Rispondete alle seguenti domande.*

1. Quanto tempo richiede il viaggio da Firenze a Roma con l'autobus?
2. Che cosa avevano fatto la sera prima Barbara e Anna?
3. Per che cosa è famosa Perugia?
4. Che cosa fece vedere loro la guida ad Assisi?
5. E ad Arezzo che cosa avevano veduto?
6. Chi aveva studiato a Perugia?
7. Perché Anna disse "eccoci a Roma"?
8. Perché Anna voleva sapere se Barbara aveva comprato dei cioccolatini?
9. Che cosa vedono fra gli alberi?
10. Perché dovranno prendere un tassì?

1. ______________________________

2. ______________________________

3. ______________________________

4. ______________________________

5. ______________________________

6. ______________________________

7. ______________________________

8. ______________________________

9. ______________________________

10. ______________________________

CLASSE__________ DATA__________ NOME E COGNOME______________________

PARTE B

LEZIONE 31

Scrivete le frasi seguenti, usando gli esempi come guida.

I. Esempi: Faccio lavare l'automobile.
La faccio lavare.
Dovremo far leggere il libro.
Lo dovremo far leggere.

1. Farò mandare il catalogo.
2. Potremo far pulire la sala d'aspetto.
3. Feci scrivere le lettere.
4. Farà scegliere le cartoline.
5. Poteva far servire i cioccolatini.

1. ______________________________
2. ______________________________
3. ______________________________
4. ______________________________
5. ______________________________

II. Esempi: Farò scrivere la lezione allo studente.
Gliela farò scrivere.
Facciamo leggere il giornale a Lorenzo e Maria.
Lo facciamo leggere loro.

1. Fa ripetere le parole correttamente al ragazzo.
2. Faremo mandare il telegramma all'impiegato.
3. Facciamo servire i rinfreschi alle signorine.
4. Farai fare il caffè alla mia sorella maggiore.
5. Farò ripetere la canzone al pianista.

1. ______________________________
2. ______________________________
3. ______________________________
4. ______________________________
5. ______________________________

Rispondete alle seguenti domande, usando gli esempi come guida.

III. Esempi: È bella la Fontana di Trevi?
<u>È bellissima!</u>
Sono veloci i treni in Italia?
<u>Sono velocissimi!</u>

1. È comoda quella panchina?
2. È interessante il romanzo?
3. Sono lunghi i capelli di Anna?
4. Sono cari i parucchieri?
5. Sono cattive le due amiche?

1. ______________________________

2. ______________________________

3. ______________________________

4. ______________________________

5. ______________________________

IV. Esempi: Dov'è Villa Borghese?
<u>Eccola!</u>
Dove siete?
<u>Eccoci!</u>

1. Dove sei?
2. Dov'è il parucchiere?
3. Dov'è Via Veneto?
4. Dove sono loro?
5. Dove sono le uova di cioccolata?

1. ______________________________

2. ______________________________

3. ______________________________

4. ______________________________

5. ______________________________

CLASSE__________ DATA________ NOME E COGNOME______________________

PARTE C

LEZIONE 31

I. *Il lettore detterà alcune frasi del dialogo. Scrivete le frasi dettate.*

1. ______________________________

2. ______________________________

3. ______________________________

4. ______________________________

5. ______________________________

6. ______________________________

7. ______________________________

8. ______________________________

9. ______________________________

10. ______________________________

II. *Date la forma corretta del futuro usando gli esempi come guida.*

Esempi: (andare) Io non ___*andrò*___ più a trovarli.

(dovere) Lei ___*dovrà*___ studiare tutti i giorni.

1. (potere) ____________________ noi andare al cinema domani?
2. (sapere) Stasera Lorenzo e Lucia lo ____________________
3. (andare) Lui non ____________________ mai più con te, cara.
4. (dovere) Il medico gli ha detto che non ______________ correre.
5. (sapere) Vedrai che me lo dirà e che io ______________ tutto.
6. (andare) Loro non ____________________ a visitare la capitale.
7. (dovere) Domani tu ____________________ scegliere un altro albergo.
8. (sapere) Lei non ____________________ mai dove abito io.
9. (potere) Luigi ____________________ viaggiare solo.
10. (andare) ____________________ voi alle Catacombe?

CLASSE____________ DATA__________ NOME E COGNOME____________________________

LEZIONE 31

PARTE D

Usando le illustrazioni e gli esempi come guida, scrivete le frasi con la forma corretta del futuro del verbo: (a) principale, (b) dovere, *(c)* potere.

Esempi:

Io: (a) Farò il bagno.
(b) Dovrò fare il bagno.
(c) Potrò fare il bagno.

Anna: (a) Andrà al mare.
(b) Dovrà andare al mare.
(c) Potrà andare al mare.

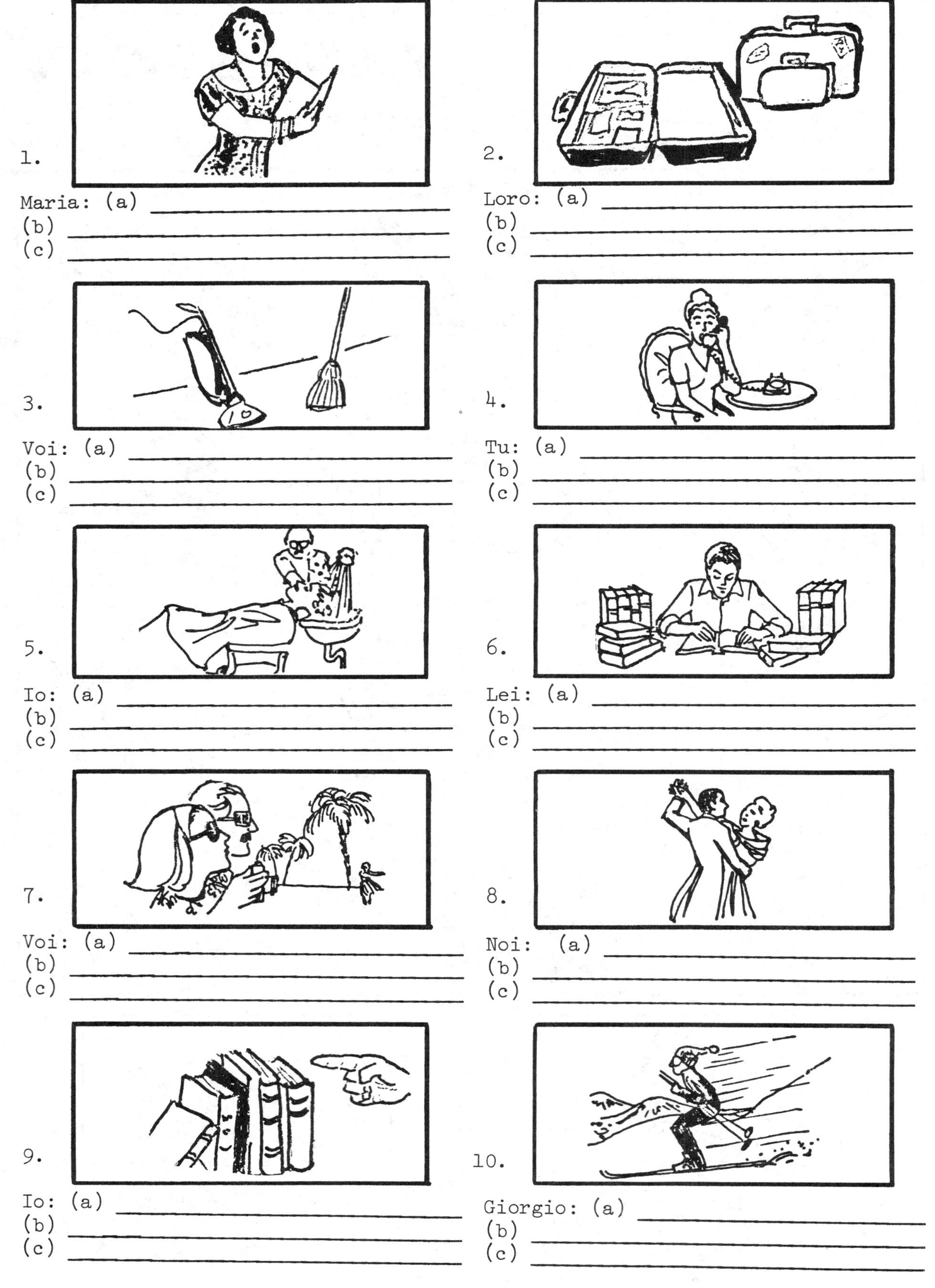
1.
Maria: (a)
(b)
(c)
2.
Loro: (a)
(b)
(c)
3.
Voi: (a)
(b)
(c)
4.
Tu: (a)
(b)
(c)
5.
Io: (a)
(b)
(c)
6.
Lei: (a)
(b)
(c)
7.
Voi: (a)
(b)
(c)
8.
Noi: (a)
(b)
(c)
9.
Io: (a)
(b)
(c)
10.
Giorgio: (a)
(b)
(c)

CLASSE__________ DATA__________ NOME E COGNOME______________________

PARTE A

LEZIONE 32

I. *Leggete e ascoltate il dialogo seguente.*

Un giro per Roma

ANNA: Ed ẹccoci finalmente a Vịa Vẹneto. Ne ho sentito parlare tanto che mi sembra già di conọscerla. Quanti caffè! Quanti negozi!

BẠRBARA: Che ne pensi?

ANNA: È una delle strade più interessanti che ạbbia mai veduto. Lo sapevi che l'Ambasciata Americana è in quẹl bel palazzo vicino alla curva?

BẠRBARA: No. A dirti la verità non so nemmeno dove sia l'Ambasciata Francese.

Le due ragazze sono a Roma da due giorni e sebbene ạbbiano poco tempo vọgliono visitare almeno i posti più importanti. Hanno già veduto il Colosseo, Piazza Venẹzia, il Pạntheon e oggi andranno alle Catacombe. Ora cammịnano a braccetto per Via Vẹneto.

ANNA: Quello dev'ẹssere il parco di Villa Borghese.

BẠRBARA: Già! Senti, prima di andarci perché non ci fermiamo a prẹndere un espresso?

ANNA: Sì. Ọttima idea. Fermịamoci a questo bar.

BẠRBARA: Sedịamoci quị fuori. Devo aggiustare la cịnghia della mia borsa.

ANNA: Mi è sempre piaciuta quella borsetta.

BẠRBARA: Vorrai dire borsạccia — è vẹcchia e brutta, ma è cọmoda.

ANNA: (*sedẹndosi*) Dụnque, vediamo un po' cosa dice la guida di Villa Borghese. — (*legge*): «Costruita nel Seicento dal Cardinale Scipione Borghese, nipote di Pạolo V.»

BẠRBARA: Basta! Basta! Le guide non m'interẹssano. Andiamo.

Le due ragazze riprẹndono il cammino e benché il parco sia grandịssimo, rịescono a vederne una buona parte. Verso mezzogiorno sono al Pịncio e stanno ammirando la veduta di Roma e di San Pietro.

BẠRBARA: Credo che sia mẹglio ritornare all'albergo prima che andiamo alle Catacombe.

ANNA: Sì, sì. Io sono accaldata e vọglio fare la dọccia e poi riposare un'oretta.

BẠRBARA: Purché le Catacombe sịano aperte nel pomerịggio.

ANNA: Sì! La guida dice che sono aperte fino alle cinque. Vedi che le guide servono a qualche cosa.

BARBARA: Sarà vero, ma non capisco come tu ti porti dietro un librone come quello; sembra un dizionario.

ANNA: Non è mica tanto grande — guarda, posso metterlo nella borsetta.

BARBARA: A proposito, io voglio rivedere la Cappella Sistina. È l'unica cosa importante che abbia già veduta a Roma e che voglio rivedere.

ANNA: Secondo il nostro programma ci andremo quando ritorneremo da Napoli, fra quattro giorni.

Le due ragazze si avviano verso un tassì che si è fermato all'angolo.

II. *Rispondete alle seguenti domande.*

1. In quale città è Via Veneto?
2. Cosa ne pensa Anna?
3. Hanno molto tempo per visitare Roma le due ragazze?
4. Perché si fermano prima di andare a Villa Borghese?
5. Com'è la borsa di Barbara?
6. Quando fu costruita Villa Borghese?
7. Di chi era nipote il Cardinale Scipione Borghese?
8. Dove sono le due ragazze verso mezzogiorno?
9. Qual è l'unica cosa a Roma che Barbara desideri rivedere?
10. Quando ritorneranno da Napoli le due amiche?

1. ______________________________

2. ______________________________

3. ______________________________

4. ______________________________

5. ______________________________

6. ______________________________

7. ______________________________

8. ______________________________

9. ______________________________

10. ______________________________

CLASSE____________ DATA__________ NOME E COGNOME____________________________

PARTE B

LEZIONE 32

Scrivete le frasi seguenti usando gli esempi come guida.

I. Esempi: Ho letto un libro interessante.
È il libro più interessante che abbia letto.
Hanno ricevuto una brutta notizia.
È la notizia più brutta che abbiano ricevuto.

1. Abbiamo ordinato un buon pranzo.
2. Ha fatto un espresso forte.
3. Avete servito una bibita speciale.
4. Hai comprato un brutto cappello.
5. Ho veduto un film interessante.

1. ______________________________
2. ______________________________
3. ______________________________
4. ______________________________
5. ______________________________

II. Esempi: Partiranno se non pioverà.
Partiranno purché non piova.
Te lo darò se non lo perderai.
Te lo darò purché tu non lo perda.

1. La spiegherò se mi ascolteranno.
2. Ti daremo il cioccolatino se non sarai cattivo.
3. Lo faremo se non ci addormenteremo.
4. Le inviteremo se non arriveranno in ritardo.
5. Mi porterò dietro le valige se non saranno troppo grandi.

1. ______________________________
2. ______________________________
3. ______________________________
4. ______________________________
5. ______________________________

III. Esempi: Non è mio, ma lo prendo lo stesso.

Lo prenderò sebbene non sia mio.

Costa molto, ma lo compra lo stesso.

Lo comprerà sebbene costi molto.

1. È difficilissimo, ma lo facciamo lo stesso.
2. Piove, ma partono lo stesso.
3. Sono giovani, ma capiscono tutto lo stesso.
4. È brutto, ma lo prendo lo stesso.
5. Nevica, ma giocano in giardino lo stesso.

1. ____________________

2. ____________________

3. ____________________

4. ____________________

5. ____________________

IV. Esempi: Tu farai un lungo viaggio.

Mio padre non vuole che tu faccia un lungo viaggio.

Lorenzo andrà al cinema.

Mio padre non vuole che Lorenzo vada al cinema.

1. Farò le valige alle sette di mattina.
2. Faranno vedere i regali di Natale.
3. Andremo a Roma in automobile.
4. Gina e Carletto andranno al parco.
5. Andrò al Veglione sola.

1. ____________________

2. ____________________

3. ____________________

4. ____________________

5. ____________________

CLASSE__________ DATA__________ NOME E COGNOME______________________

PARTE C

LEZIONE 32

I. *Il lettore detterà alcune frasi del dialogo. Scrivete le frasi dettate.*

1. ______________________________

2. ______________________________

3. ______________________________

4. ______________________________

5. ______________________________

6. ______________________________

7. ______________________________

8. ______________________________

9. ______________________________

10. ______________________________

II. *Date la forma corretta del congiuntivo usando gli esempi come guida.*

Esempi: (fare) Emilio vuole che io gli ___*faccia*___ il compito.

(andare) Dubito che loro ___*vadano*___ in Cina.

1. (piovere) Partirò domani purché non ______________

2. (fare) Voglio che Lei mi ______________ questo favore.

3. (nevicare) Desideriamo che ______________ nelle Alpi.

4. (andare) Abbiamo paura che lui ______________ via solo.

5. (costruire) Dubito che Giorgio lo ______________ da sé.

6. (portarsi) Vuole che noi ______________ dietro il denaro.

7. (avere) Dubitiamo che lei ______________ sentito parlarne.

8. (riprendere) Non credo che loro ______________ il cammino.

9. (stabilirsi) Io penso che Alfredo ______________ in Italia.

10. (aggiustare) Te lo diamo affinché lo ______________

CLASSE______________ DATA____________ NOME E COGNOME________________________________

PARTE D

PAROLE INCROCIATE - (Vocabolario) - Sciogliete il seguente enigma:

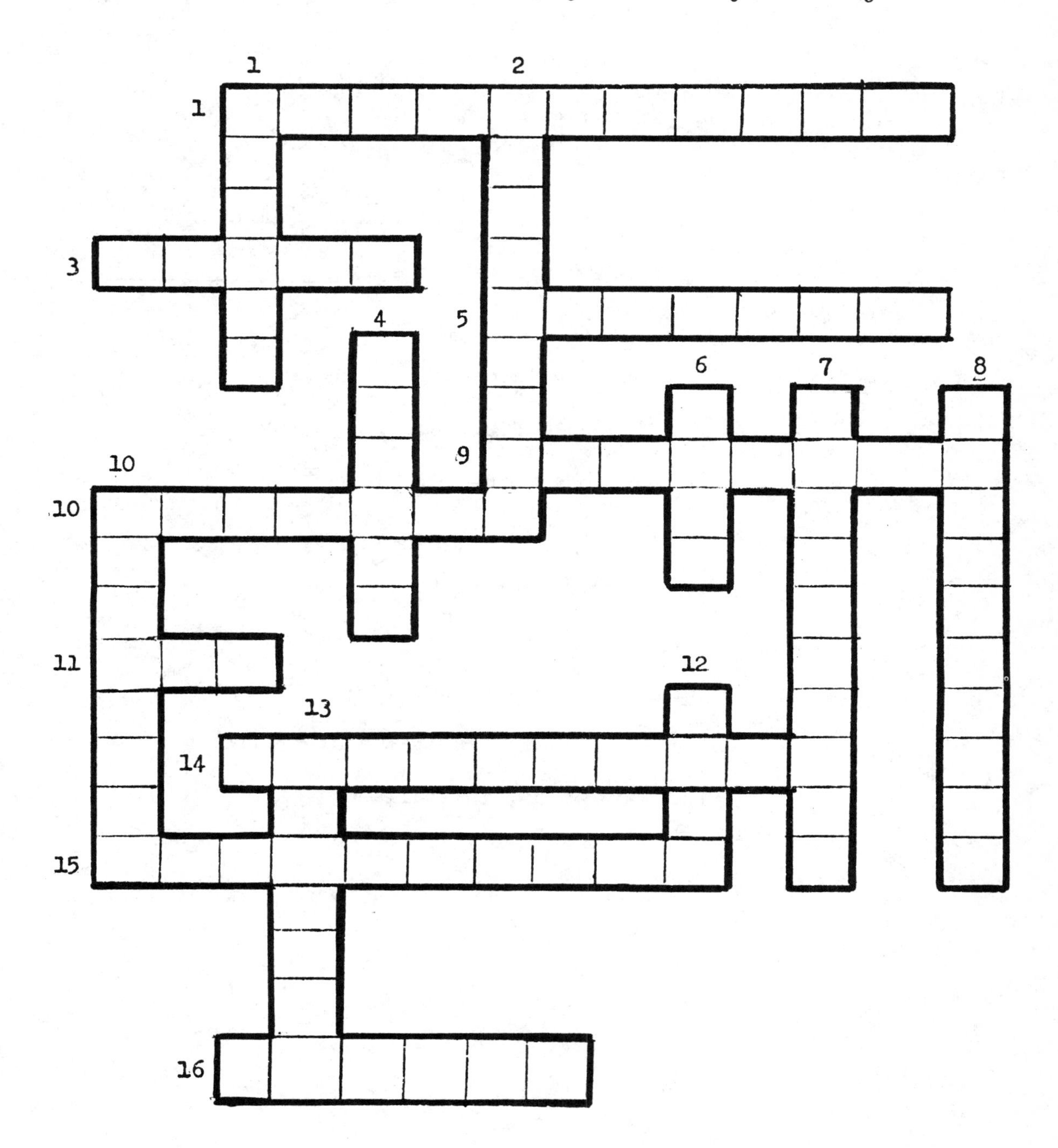

Orizzontali:

1. 1,000,000^o.
3. "Guide, guidebook" in italiano.
5. Delle piccole case.
9. Una piccola tavola.
10. Piuttosto bello.
11. "South", in italiano.
14. 11°.
15. Come si dice in italiano: "embassy"?
16. Non è una bugia ma è la ________________

Verticali:

1. Una piccola mano.
2. Il secolo diciannova.
4. Piuttosto bene.
6. 9°.
7. Una grande finestra.
8. 12°.
10. Una piccola borsa.
12. Come si dice in italiano: "life"?
13. "Not even", in italiano.

CLASSE__________ DATA__________ NOME E COGNOME______________________

PARTE A

LEZIONE 33

I. *Leggete e ascoltate il dialogo seguente.*

A Napoli *Il golfo di Napoli è senza dubbio uno dei più magnifici d'Europa e del mondo, ed è anche uno dei porti più attivi del Mediterraneo. Napoli offre uno spettacolo indimenticabile a chi la vede per la prima volta: con il suo mare azzurro, la passeggiata lungo il mare, il Vesuvio, Capri e le altre isole, e i suoi meravigliosi dintorni. Barbara e Anna sono a Napoli da tre giorni, e hanno già visitato i posti più interessanti. Hanno fatto una gita a Capri e alla grotta azzurra; hanno fatto una gita ad Amalfi; hanno passato diverse ore a Pompei, e hanno visitato la bellissima Galleria, dove hanno preso un gelato di fragole. Interessantissima è stata la visita al Museo Nazionale. Ora è l'una del pomeriggio, e sono sedute a un tavolino di uno dei ristoranti sul golfo.*

ANNA: In questa lista ci sono tutte le specialità napoletane.

BARBARA: Io non ho mica molta fame. Mi basterebbe un paio d'uova.

ANNA: Tu scherzi! Dobbiamo assaggiare la specialità napoletana, gli spaghetti alle vongole. Dov'è andato il cameriere?

BARBARA: È quel giovane alto con la giacca bianca che sta parlando con uno dei musicisti. Che parli quanto vuole! Non c'è fretta, io sono stanca morta; infatti mi fa male una scarpa, e vorrei restare seduta e riposarmi per un'oretta.

ANNA: C'erano tante sale in quel museo che avremo fatto almeno due miglia.

BARBARA: È vero. Ma pensa quante centinaia di cose abbiamo veduto!

ANNA: Avremmo potuto vedere di più, ma non c'era tempo.

BARBARA: È senza dubbio uno dei più bei musei ch'io abbia mai visto.

ANNA: L'anno venturo dovrei ritornare in Italia; se ci ritornerò verrò di nuovo a Napoli.

BARBARA: A me dispiace di non esserci potuta venire prima. Che si fa dopo colazione?

ANNA: Finita la colazione, prenderemo una carrozza e faremo una passeggiata lungo il mare.

BARBARA: È un'ottima idea. Chi sa se fa molto freddo qui a Napoli nell'inverno?

ANNA:	Non so, ma non credo che fạccia molto freddo. Credo, però, che l'autunno e la primavera sịano le stagioni migliori.
BẠRBARA:	Senti! I musicisti hanno incominciato a suonare una canzonetta.
ANNA:	Sì. È molto carina. Ed ecco il cameriere.
BẠRBARA:	Meno male! Adesso ho fame anch'io!

II. *Rispondete alle seguenti domande.*

1. In quale mare è il golfo di Napoli?
2. Per che cosa è famosa la città di Napoli?
3. Dove sono alcuni dei più famosi ristoranti napoletani?
4. Che cosa hanno fatto Barbara e Anna a Napoli?
5. Perché vuole riposarsi Barbara?
6. Quante miglia avranno fatto nel museo?
7. Perché non hanno potuto vedere tutto?
8. Che cosa dispiace a Barbara?
9. Che cosa faranno le ragazze dopo colazione?
10. Fa molto freddo a Napoli nell'inverno?

1. ____
2. ____
3. ____
4. ____
5. ____
6. ____
7. ____
8. ____
9. ____
10. ____

CLASSE__________ DATA__________ NOME E COGNOME______________________

PARTE B

LEZIONE 33

Scrivete le seguenti frasi usando gli esempi come guida.

I. Esempi: Non voleva offrirlo.
Non ha voluto offrirlo.
Gina non poteva partire.
Gina non è potuta partire.

1. Potevamo cantarla.
2. Potevo farlo facilmente.
3. Volevano venire in America.
4. Non potevano suonare bene.
5. Maria voleva imparare la canzone.

1. ______________________________
2. ______________________________
3. ______________________________
4. ______________________________
5. ______________________________

II. Esempi: Avendo finito la conferenza, ritornò a casa.
Finita la conferenza, ritornò a casa.
Essendo arrivate stanche, le ragazze andarono a letto.
Arrivate stanche, le ragazze andarono a letto.

1. Avendo comprato la giacca, non ebbe più soldi.
2. Avendo suonato le canzoni, il pianista s'alzò.
3. Avendo visto i canali, andarono in gondola.
4. Essendo arrivati a Napoli, visitarono i dintorni.
5. Essendo partiti gl'invitati, Lorenzo andò a riposarsi.

1. ______________________________
2. ______________________________
3. ______________________________
4. ______________________________
5. ______________________________

III. Esempi: Anche loro verranno alla cena d'addio.
Anche loro verrebbero alla cena d'addio.
Verrò volentieri ma non posso.
Verrei volentieri ma non posso.

1. Verrai anche tu in Italia.
2. Non verremo a scuola in ritardo.
3. Verranno anche loro a fare un giro.
4. Enzo verrà qui alle sei del mattino.
5. Voi non verrete a Pompei.

1. ______________________________

2. ______________________________

3. ______________________________

4. ______________________________

5. ______________________________

IV. Esempi: Vorrò ordinare una specialità napoletana.
Vorrei ordinare una specialità napoletana.
Luisa vorrà visitare i dintorni di Roma.
Luisa vorrebbe visitare i dintorni di Roma.

1. Vorrete mangiare gli spaghetti alle vongole.
2. Vorremo vedere il golfo di Napoli.
3. Vorrai comprare un paio di scarpe bianche.
4. Vorrò far pulire la giacca grigia.
5. Vorrà fare una gita a Capri e alla grotta azzurra.

1. ______________________________

2. ______________________________

3. ______________________________

4. ______________________________

5. ______________________________

CLASSE____________ DATA__________ NOME E COGNOME____________________________

PARTE C

LEZIONE 33

I. *Il lettore detterà alcune frasi del dialogo. Scrivete le frasi dettate.*

1. ____

2. ____

3. ____

4. ____

5. ____

6. ____

7. ____

8. ____

9. ____

10. ____

II. *Date la forma corretta del plurale dei nomi usando gli esempi come guida.*

Esempi: (l'osso) Dove sono *gli ossi* ________ per il cane?

(la valigia) Ecco *le valige* ________ che vorrei comprare!

1. (l'uovo) Per Pasqua dovrò mangiare molte ________________

2. (il braccio) Lui ha delle ________________ enormi!

3. (il paio) Vorremmo tre ________________ di scarpe.

4. (il centinaio) Mi dica quante ________________ sono?

5. (l'osso) Sono ________________ del famoso santo.

6. (il miglio) Sarà circa quindici ________________

7. (il labbro) Come sono rosse ________________ di Luisa.

8. (il dito) Sapete che mi fanno male ________________

9. (il migliaio) Riceverà due ________________ di lire.

10. (la mano) Lavati subito ________________!

CIASSE____________ DATA__________ NOME E COGNOME____________________________

PARTE D

LEZIONE 33

Usando le illustrazioni e gli esempi come guida, leggete la frase, studiate bene il disegno (drawing) e poi sottolineate (underline) la lettera V (vero) o F (falso).

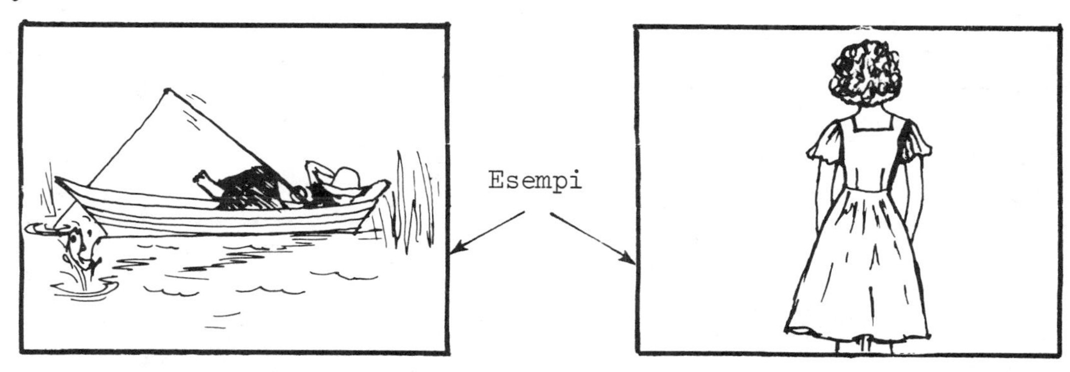

Carlo è a casa perché gli fa male un piede.
V <u>F</u>

Si porta sempre dietro una bellissima borsetta.
V <u>F</u>

1. In mezzo al giardino c'era una grande piscina.
   V F

2. Nell'inverno le Alpi sono coperte di neve.
   V F

3. Luisa e Maria camminano a braccetto.
   V F

4. Di solito non prendo vino bianco, ma questa volta lo prenderò.
   V F

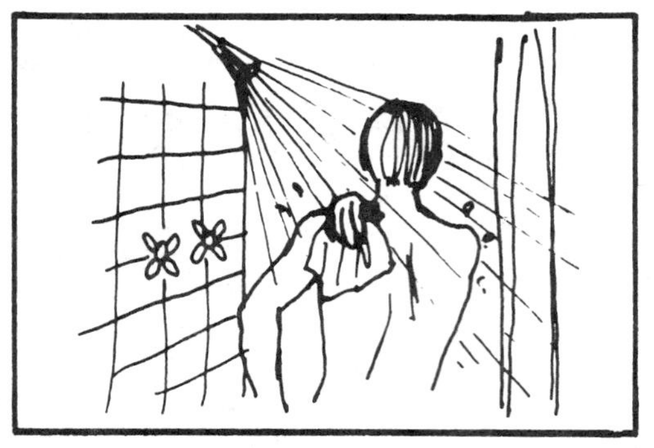

5. Non c'è acqua e così non
fa la doccia.
V F

6. Meno male che non piove.
V F

7. Vorrei riposarmi per un'oretta.
V F

8. Fa molto caldo, andiamo in acqua.
V F

9. Tutte le mattine lavora
due ore.
V F

10. Mi piace il tennis ma non ho
potuto giocare.
V F

11. Non voleva studiare perché
era stanco morto.
V F

12. Sarà andata a comprare delle
uova.
V F

CLASSE__________ DATA__________ NOME E COGNOME__________________

PARTE A

LEZIONE 34

I. *Leggete e ascoltate il dialogo seguente.*

Opera all'aperto *Le due amiche, Bąrbara e Anna, sono di nuovo a Roma dopo una vịsita di tre giorni a Nąpoli e ai suoi dintorni. Dopodomani sarà il loro ụltimo giorno in Itąlia.*

BĄRBARA: Oh, come vorrei restare in Itạlia altri due o tre mesi! Se non dovessi assolutamente ritornare a casa lo farei.

ANNA: Anch'io! Se avessi avuto il denaro sarei restata a Firenze un altro anno.

BĄRBARA: Che ore sono?

ANNA: Sono già le dieci e venti. Giovanni ha scritto nella sua lẹttera che voleva che andạssimo a prẹnderli alla stazione. Ma non credo che potremo.

BĄRBARA: Perché no?

ANNA: Dobbiamo comprare i biglietti per l'ọpera e se non andiamo prima di mezzogiorno saranno esauriti. Se li avẹssimo comprati ieri sera ora non avremmo tanta fretta.

BĄRBARA: Che ọpera c'è stasera?

ANNA: La *Tosca*.

BĄRBARA: Ne sei sicura? Credevo che ci fosse l'*Aïda*.

ANNA: Ecco, guarda il programma.

BĄRBARA: È vero, è prọprio la *Tosca*. A propọsito, tu che ti porti sempre dietro quella guida, cosa puoi dirmi delle Terme di Caracalla?

ANNA: Vediamo un po' — ecco, pạgina 225. Terme di Caracalla. «Le terme ẹrano grandi edifici per bagni presso gli antichi romani. Le Terme di Caracalla (186–217 d.c. = dopo Cristo) fụrono fatte costruire da questo imperatore e sono rimaste in discreto stato di conservazione attraverso i sẹcoli. Oggi si ụsano per spettạcoli all'aperto durante l'estate» Basta?

BĄRBARA: Sì, sì, è abbastanza chiaro. E cosa faremo dopo l'ọpera?

ANNA: Non so. Credo che Enzo ạbbia detto di volere andare a una trattoria in Trastẹvere.

BĄRBARA: Io credevo che volesse portarci a Piazza Navona.

ANNA: No, no, ha detto in Trastẹvere.

BĄRBARA: Dov'è Trastẹvere? Vicino a San Giovanni?

ANNA: No, no. È vicino al vecchio centro di Roma. Trastevere è un quartiere sulla riva destra del Tevere; è uno dei quartieri più popolari di Roma dove sono molte trattorie tipiche.

BARBARA: Sai cosa voglio assaggiare? La mozzarella in carrozza. Ne ho sentito parlare tanto.

ANNA: L' assaggerò anch'io. E ora sarà meglio andare a comprare i biglietti.

II. *Rispondete alle seguenti domande.*

1. Che cosa hanno fatto a Napoli le due amiche?
2. Cosa aveva scritto Giovanni nella sua lettera?
3. Perché devono comprare i biglietti prima di mezzogiorno?
4. Che cosa sono le Terme di Caracalla?
5. Dove andranno dopo l'opera i quattro giovani?
6. Per che cosa si usano le Terme di Caracalla oggi?
7. Dov'è Trastevere?
8. Qual è una delle piazze di Roma?
9. Che cosa è "la mozzarella in carrozza"?
10. Se Anna avresse avuto il denaro sarebbe restata a Firenze un altro anno?

1. ______________________________

2. ______________________________

3. ______________________________

4. ______________________________

5. ______________________________

6. ______________________________

7. ______________________________

8. ______________________________

9. ______________________________

10. ______________________________

CLASSE__________ DATA__________ NOME E COGNOME______________________

PARTE B

Scrivete le seguenti frasi usando gli esempi come guida.

I. Esempi: Dubito che sia a casa.
Dubitavo che fosse a casa.
È importante che io arrivi presto.
Era importante che io arrivassi presto.

1. Ho paura che tu non impari.
2. È impossibile che lui abbia sete.
3. Credo che ce ne parli.
4. È possibile che abbiano ragione.
5. È necessario che siamo in ufficio prima delle otto.

1. ______________________________
2. ______________________________
3. ______________________________
4. ______________________________
5. ______________________________

II. Esempi: Credevo che non avesse tempo.
Credevo che non avesse avuto tempo.
Era impossibile che arrivasse sola.
Era impossibile che fosse arrivata sola.

1. Era possibile che fosse il nostro medico.
2. Avevo paura che ripetesse la bugia.
3. Era necessario che il bambino dormisse un'oretta.
4. Dubitavo che non mi parlasse.
5. Non sapevo se fossero cugini.

1. ______________________________
2. ______________________________
3. ______________________________
4. ______________________________
5. ______________________________

III. Esempi: Se avessero il denaro andrebbero in Italia.
Se avessero avuto il denaro sarebbero andati in Italia.
Se fossi in America abiterei a San Francisco.
Se fossi stato in America avrei abitato a San Francisco.

1. Se non avessi fretta mi fermerei al caffè.
2. Se cantasse in italiano capiremmo la canzonetta.
3. Se venissero volentieri l'inviterei spesso.
4. Se fossi in ritardo i biglietti sarebbero esauriti.
5. Se ritornassero ci divertiremmo molto.

1. ______________________________

2. ______________________________

3. ______________________________

4. ______________________________

5. ______________________________

IV. Esempi: Se lo diceva lui era vero.
Se lo dirà lui sarà vero.
Se sospirava vuol dire che era stanca.
Se sospirerà vuol dire che sarà stanca.

1. Se non avevo fame non mangiavo.
2. Se glielo spiegavo chiaramente mi capiva.
3. Se cantava vuol dire che era felice.
4. Se aveva soldi me li dava.
5. Se parlava piano era facile seguirlo.

1. ______________________________

2. ______________________________

3. ______________________________

4. ______________________________

5. ______________________________

CLASSE__________ DATA__________ NOME E COGNOME____________________

PARTE C

LEZIONE 34

I. *Il lettore detterà alcune frasi del dialogo. Scrivete le frasi dettate.*

1. ____________________
2. ____________________
3. ____________________
4. ____________________
5. ____________________
6. ____________________
7. ____________________
8. ____________________
9. ____________________
10. ____________________

II. *Date la forma corretta dell'imperfetto del congiuntivo.*

Esempi: (arrivare) La signorina dubitava che lui *arrivasse.*

(essere) Era impossibile che lei *fosse* stanca.

1. (essere) Se io ________________ in Italia, visiterei Como.

2. (ritornare) Vorrei che lui ________________ un po' presto.

3. (ripetere) Lui desiderava che Lei ________________ la regola.

4. (dormire) Avevo paura che loro ________________ troppo.

5. (avere) Loro credevono che tu ________________ l'assegno.

6. (partire) Era necessario che Mariuccia ________________ sola.

7. (usare) Claudia pensava che loro lo ________________

8. (lavarsi) Sua madre dubitava che lui ________________ bene.

9. (attraversare) Credevo che lui ________________ la strada.

10. (aprire) Era possibile che noi ________________ le finestre.

CLASSE__________ DATA__________ NOME E COGNOME______________________

PARTE D

LEZIONE 34

Usando le illustrazioni e gli esempi come guida, scegliete il verbo adatto e completate la frase con la forma corretta dell'imperfetto del congiuntivo

VISITARE VENEZIA - MANGIARE DI PIÙ - ESSERE STANCO - AVERE SETE - VEDERE IL VESUVIO - RESTARE A ROMA - VENIRE IN CARROZZA - PARTIRE SUBITO - ESSERE FELICE - PULIRE LA CAMERA - COMPRARE DUE PAIA DI SCARPE - LEGGERE LA LETTERA

Esempi

Volevo che voi *visitaste* *Venezia.*

Credevamo che lui *mangiasse* *di più.*

1. Dubitava che Luisa __________

____

2. Era impossibile che lui __________

____

3. Avevano paura che la cameriera non

____

4. Avevo paura che tu __________

____

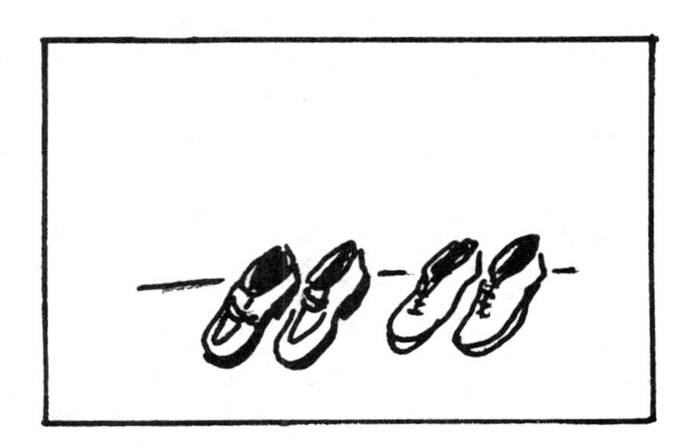

5. Era necessario che noi ________

____

6. Non credeva che suo padre gli

____

7. Volevano che io ________________

____

8. Speravamo che il dottore non

____

9. Non sapeva che noi ____________

____

10. Sembrava che lui ______________

____

CLASSE____________ DATA__________ NOME E COGNOME______________________

PARTE A

LEZIONE 35

I. *Leggete e ascoltate il dialogo seguente.*

La Cappella Sistina

Anna e Bạrbara sono di nuovo in giro per Roma. Domani lasceranno l'Itạlia e oggi vọgliono visitare la Cappella Sistina. Hanno preso l'ạutobus e sono scese in Piazza San Pietro. Ora cammịnano verso il Vaticano.

ANNA: Che bella serata ieri sera. Mi sono prọprio divertita.

BẠRBARA: Anch'io. L'ọpera all'aperto è uno spettạcolo veramente fantạstico.

ANNA: E che cena! Incomịncio a capire perché tanta gente va a mangiare nelle trattorie romane.

BẠRBARA: Chi sa da che parte si va per la Cappella Sistina?

ANNA: Non lo so. Chiẹdilo a quẹl vịgile.

Il vịgile le dirige a destra. Le ragazze lo ringrạziano e dopo avẹr camminato altri cịnque minuti arrịvano all'entrata della Cappella. Anna tira fuori la sua guida e incomịncia a lẹggere.

ANNA: Vuoi che ti dica cosa dice la guida della Cappella Sistina?

BẠRBARA: No, grạzie — come sai ci sono già stata un'altra volta e credo di sapere più o meno le cose importanti.

ANNA: Io invece no! Bisogna prọprio che legga attentamente la guida.

BẠRBARA: Va bene, fai pure. Io preferisco contemplare gli affreschi della volta e delle pareti — i capolavori di Michelạngelo.

Le amiche si sepạrano. Anna rimane a lẹggere e Bạrbara si avvia lentamente verso il centro della cappella. C'è molta gente, forse trecento persone, tutte con la testa in su ad ammirare gli affreschi della volta. Un altro gruppo di persone ammira il grande affresco del Giudịzio Universale, che è sulla parete dietro all'altare. Passa quasi un'ora prima che le due amiche si ritrọvino.

BẠRBARA: Che ọpera grandiosa, che capolavoro!

ANNA: Mi sento ụmile davanti a un tale gẹnio.

BẠRBARA: A me piace guardare particolarmente la creazione dell'uomo e il dettạglio della mano di Dio che dà vita ad Adamo.

ANNA: Tutto è così bello! Lo sapevi che è in questa cappella che si tẹngono le elezioni per il nuovo pontẹfice?

BARBARA: Sì, lo sapevo. Ed ora purtroppo bisogna andare. Che ore sono?
ANNA: Le quattro meno un quarto.
BARBARA: È tardi e dobbiamo ancora fare tante cose.
ANNA: Ritorniamo all'albergo?
BARBARA: Sì, ma prima fermiamoci in una gioielleria. Vorrei comprare un anello d'argento per mia madre.
ANNA: Allora andiamo.

II. *Rispondete alle seguenti domande.*

1. Cosa vogliono visitare le due amiche?
2. Quando lasceranno l'Italia?
3. Perché le trattorie romane sono popolari?
4. Cosa dice il vigile alle due ragazze?
5. Perché si separono Barbara e Anna?
6. Perché è famosa la Cappella Sistina?
7. Perché Anna deve leggere la guida attentamente?
8. Perché Anna si sente umile?
9. Dove si tengono le elezioni per il nuovo pontefice?
10. Cosa vuole comprare Barbara?

1. ______________________________

2. ______________________________

3. ______________________________

4. ______________________________

5. ______________________________

6. ______________________________

7. ______________________________

8. ______________________________

9. ______________________________

10. ______________________________

CLASSE____________ DATA__________ NOME E COGNOME______________________________

PARTE B

LEZIONE 35

Rispondete alle seguenti domande usando gli esempi come guida.

I. Esempi: Che cosa desidera?
Desidero suonare un disco.
Che cosa gli permette?
Gli permetto di suonare un disco.

1. Che cosa vuole?
2. Che cosa gli ha detto?
3. Che cosa sa?
4. Che cosa preferisci?
5. Che cosa finisce?

1. ______________________________
2. ______________________________
3. ______________________________
4. ______________________________
5. ______________________________

II. Esempi: Che cosa preferiscono?
Preferiamo nuotare.
Che cosa le insegnano?
Le insegniamo a nuotare.

1. Che cosa sanno?
2. Che cosa imparano?
3. Che cosa vogliono?
4. Che cosa continuano?
5. Che cosa desiderano fare?

1. ______________________________
2. ______________________________
3. ______________________________
4. ______________________________
5. ______________________________

Scrivete le seguenti frasi usando gli esempi come guida.

III. Esempi: Lui viene a vedere il grattacielo.
Dubito che lui venga a vedere il grattacielo.
Loro ci dicono di prendere il rapido.
Dubito che ci dicano di prendere il rapido.

1. Mi dà il permesso di viaggiare in aereo.
2. Voi dite di andare con loro.
3. Dico di sì.
4. Glielo diamo stasera.
5. Vengono a visitarci.

1. ______________________________
2. ______________________________
3. ______________________________
4. ______________________________
5. ______________________________

IV. Esempi: Parte e non mi dice addio.
Parte senza dirmi addio.
Escono e non ci ringraziano.
Escono senza ringraziarci.

1. Canta e non conosce la musica.
2. Scrive l'italiano e non sa le regole.
3. Vengono e non ci telefonano.
4. Va all'opera e non ha il biglietto.
5. Va al cinema e non ti dice nulla.

1. ______________________________
2. ______________________________
3. ______________________________
4. ______________________________
5. ______________________________

CLASSE__________ DATA__________ NOME E COGNOME____________________

PARTE C

LEZIONE 35

I. *Il lettore detterà alcune frasi del dialogo. Scrivete le frasi dettate.*

1. ____
2. ____
3. ____
4. ____
5. ____
6. ____
7. ____
8. ____
9. ____
10. ____

II. *Date la forma corretta della preposizione usando gli esempi come guida.*

Esempi: Guarda, Giovanni, sto imparando ___*a*___ nuotare.

Credo che lui abbia il permesso ___*di*___ partire.

1. Incominciamo __________ capire tutto quello che ci dice.

2. Le insegniamo __________ leggere e a scrivere.

3. Mi hanno pregato __________ andare al cinema con loro.

4. Vanno a scuola __________ studiare l'italiano e l'inglese.

5. Mio fratello ha comprato un orologio __________ oro.

6. Questo piccolo aeroplano non è mio, è __________ Roberto.

7. La bambina desidera un bicchiere __________ latte.

8. Loro hanno piacere __________ dire qualcosa a suo figlio.

9. La signora Bianchi non è andata __________ vedere il film.

10. Basta! Dobbiamo promettere __________ non scherzare più.

CLASSE__________ DATA________ NOME E COGNOME______________________

PARTE D

LEZIONE 35

Sciogliete il seguente enigma -

Scrivete le parole che mancano. Le lettere della colonna centrale formeranno verticalmente il nome e cognome di un famosissimo artista italiano.

1. Nel capolavoro, Dio dà vita ad ..... _ _ _ [ ] _
2. Il congiuntivo presente di dare (voi). _ [ ] _ _ _
3. Basta! Mi ..... la verità! _ _ [ ] _
4. Anna e Barbara sono ..... _ _ _ _ [ ] _
5. Mi sento umile davanti un tale ..... _ [ ] _ _ _
6. Il participio passato di rivolgere. _ _ _ _ [ ] _ _
7. Si trova in tutte le chiese. _ _ _ [ ] _ _
8. Il congiuntivo presente di venire (tu). _ _ [ ] _ _
9. Non è un anello d'oro ma è d' ..... _ _ [ ] _ _ _ _
10. Come si dice "behind" in italiano? _ _ [ ] _ _ _
11. Sono soldi italiani. [ ] _ _ _
12. La Cappella Sistina si trova in questa capitale. _ [ ] _ _

Il nome è: ______________________________

13. Il congiuntivo presente di avere (lei).

14. Più di una persona e sono insieme.

15. È una famosa opera italiana.

16. È bianco ma non è latte perché può essere rosso.

17. Non è La Tosca, ma è L' .....

18. Il Giudizio Universale è un ....

19. Il fiume che passa per Firenze.

20. Mio fratello non lo sa ma io sì che lo .....

21. Gl'Inglesi lo preferiscono al caffè.

22. Il verbo italiano "to pull".

Il cognome è: ______________________________

CLASSE__________ DATA__________ NOME E COGNOME____________________

PARTE A

LEZIONE 36

I. *Leggete e ascoltate il dialogo seguente.*

Arrivederci *Oggi è il giorno della partenza di Bạrbara e di Anna. Alle quattro del pomerịggio, fatte le valige e pagato il conto, hanno telefonato a Enzo e a Giovanni che sono venuti a prẹnderle con un tassì per accompagnarle all'aẹroporto. Bạrbara e Anna prenderanno lo stesso aeroplano per Parigi, dove Bạrbara passerà una settimana da Anna prima di proseguire per San Francisco. Partite Bạrbara e Anna, Giovanni e Enzo andranno direttamente alla stazione, dove cercheranno di prẹndere il rạpido delle diciannove per Firenze. I quattro amici sono ora all'aeroporto e aspẹttano che sịa annunziata la partenza dell'aẹreo per Parigi.*

BẠRBARA: Anna, non mi hai ancora detto se ti piace questa borsa da viạggio.

ANNA: Sì, ma come ricorderai io volevo che tu comprassi quella rossa. Sembrava più forte. E poi il rosso è un colore di moda quest'anno.

BẠRBARA: Tu, poi, li comprasti quei sạndali che vedesti "Da Mạrio" in Via Nazionale?

ANNA: No, non mi stạvano affatto bene.

BẠRBARA: Spero che non avrai dimenticato il passaporto in albergo. Prima che ci lạscino salire sull'aẹreo c'è il controllo dei passaporti e dei bagagli.

GIOVANNI: È vero, ma è una sẹmplice formalità per gli stranieri.

BẠRBARA: Negli Stati Uniti, invece, in dogana ạprono tutti i bagagli.

ENZO: Peccato davvero che non possiamo venire con voi fino a Parigi!

ANNA: Perché non venite? È così bello volare!

GIOVANNI: È fạcile a dirsi! E il biglietto chi ce lo compra?...

ENZO: Quanto mi piacerebbe viaggiare in aẹreo!

GIOVANNI: Anche a me. Vorrei sorvolare il Polo. Si dice che sia un viạggio fantạstico.

ANNA: Ma se il tempo è chiaro è bello anche sorvolare le Alpi, e per andare a Parigi si sorvọlano le Alpi.

BẠRBARA: Quanto tempo ci vuole per andare a Parigi?

ANNA: Con l'aviogetto ci vuole poco più d'un'ora.

BẠRBARA: Beata te! Parigi è vicina all'Itạlia...San Francisco invece è quasi agli antịpodi! Ci sono nove ore di differenza fra l'Itạlia e la Califọrnia.

ENZO:	E sei fra l'Italia e New York.
(*Una voce*):	Il volo dell'Alitalia numero 925 per Parigi è in partenza.
GIOVANNI:	Allora, arrivederci ragazze. Buon viaggio e non dimenticate di scrivere.
ENZO:	Arrivederci Anna, noi ci rivedremo a Parigi per Natale. Ciao Barbara, salutami il ponte di Golden Gate!
BARBARA:	Arrivederci. Grazie di tutto. Chi lo sa? Forse l'anno venturo c'incontreremo tutti di nuovo.
ANNA:	E perché no? Oggi è così facile viaggiare.
GIOVANNI:	"All it takes is money," come ci ha insegnato Barbara!

II. *Rispondete alle seguenti domande.*

1. Quando hanno telefonato ai loro amici Barbara e Anna?
2. Anna partirà sola per Parigi?
3. Da chi contava passare una settimana a Parigi Barbara?
4. Che cosa faranno Giovanni e Enzo quando saranno partite le loro amiche?
5. Che borsa da viaggio voleva Anna che comprasse Barbara?
6. Quando ha luogo il controllo dei passaporti?
7. Nelle dogane italiane aprono tutti i bagagli degli stranieri?
8. Quando si sorvolano le Alpi?
9. Quanto tempo ci vuole per andare in aviogetto da Los Angeles a New York?
10. E per andare in aereo da New York a Roma quanto tempo ci vuole?

1. ______________________________
2. ______________________________
3. ______________________________
4. ______________________________
5. ______________________________
6. ______________________________
7. ______________________________
8. ______________________________
9. ______________________________
10. ______________________________

CLASSE__________ DATA__________ NOME E COGNOME______________________

PARTE B

LEZIONE 36

Rispondete alle seguenti domande usando gli esempi come guida.

I. Esempi: Vede qualcosa?
Non c'è niente da vedere.
Mangia qualcosa?
Non c'è niente da mangiare.

1. Dice qualcosa?
2. Legge qualcosa?
3. Vende qualcosa?
4. Ammira qualcosa?
5. Contempla qualcosa?

1. ______________________________
2. ______________________________
3. ______________________________
4. ______________________________
5. ______________________________

II. Esempi: Vuole Lei dirmi qualcosa?
Sì, ho qualcosa da dirLe.
Vuoi tu insegnarci qualcosa?
Sì, ho qualcosa da insegnarvi.

1. Volete voi comprarmi qualcosa?
2. Vogliono Loro leggerci qualcosa?
3. Vuole lui portare loro qualcosa?
4. Vuoi tu darmi qualcosa?
5. Vogliono loro spiegarti qualcosa?

1. ______________________________
2. ______________________________
3. ______________________________
4. ______________________________
5. ______________________________

Scrivete le seguenti frasi usando gli esempi come guida.

III. Esempi: Gli facciamo una sorpresa.
<u>Desideravo che gli facessimo una sorpresa.</u>
Mi dice di assaggiare il gelato.
<u>Desideravo che mi dicesse di assaggiare il gelato.</u>

1. Mi fa un favore.
2. Lui non ti dice niente.
3. Tu non fai il viaggio.
4. Le diciamo d'incontrarci all'aeroporto.
5. Dai al turista il suo passaporto.

1. ____________________

2. ____________________

3. ____________________

4. ____________________

5. ____________________

IV. Esempi: Maria è andata all'ufficio del dottore.
<u>Maria è andata dal dottore.</u>
Hanno cenato a casa di Giovanni.
<u>Hanno cenato da Giovanni.</u>

1. Abbiamo mangiato al ristorante di Gino.
2. Sei andata all'ufficio del dentista.
3. Siamo andati a giocare a casa sua.
4. Loro sono andati all'ufficio della CIT.
5. Ho passato la serata a casa tua.

1. ____________________

2. ____________________

3. ____________________

4. ____________________

5. ____________________

CLASSE__________ DATA__________ NOME E COGNOME______________________

PARTE C

LEZIONE 36

I. *Il lettore detterà alcune frasi del dialogo. Scrivete le frasi dettate.*

1. ______________________________

2. ______________________________

3. ______________________________

4. ______________________________

5. ______________________________

6. ______________________________

7. ______________________________

8. ______________________________

9. ______________________________

10. ______________________________

II. *Date la forma corretta della preposizione usando gli esempi come guida.*

Esempi: Quello è un bellissimo costume ___*da*___ bagno.

Ditele in italiano che voglio andare ___*a*___ studiare.

1. Avevo fame ma non c'era molto _________ mangiare.

2. Questa sarà la lezione che ci darà _________ fare per domani.

3. Luisa voleva regalarti un anello _________ oro.

4. Era impossibile che fosse andata _________ parrucchiere.

5. Ha capito subito che non c'era niente _________ fare.

6. Ti prego, caro Guido, _________ non incominciare a bere troppo.

7. Abbiamo avuto il piacere _________ conoscere il violinista.

8. Prima _________ giocare, dovresti finire il tuo compito.

9. Comprerò il cane _________ caccia sebbene costi un po' troppo.

10. Credeva _________ sapere tutto.

CLASSE__________ DATA________ NOME E COGNOME________________________

PARTE D

PAROLE INCROCIATE - Scioglete i nomi dei seguenti famosi Italiani noti in tutto il mundo:

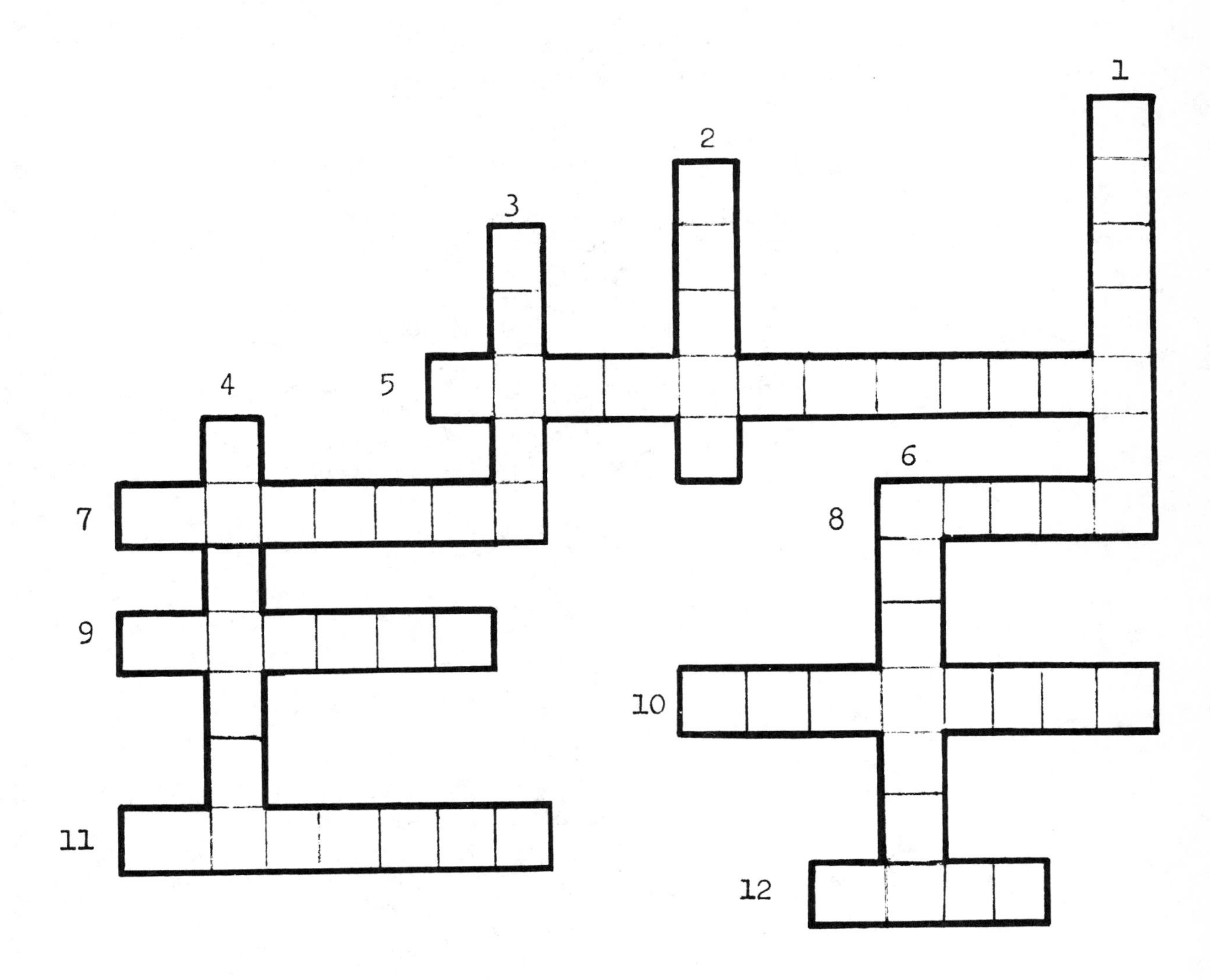

Orizzontali:

5. Architetto del secolo quindicesimo.

7. Compositore italiano (1685-1743).

8. Produttore di film italiani.

9. Pittore del secolo quattordicesimo.

10. Il cognome è Mastrianni; qual è il nome di questo attore?

11. "Il barbiere di Siviglia" è di __________

12. Diamoci del tu! Non più "Signorina Lollobrigida", ma piuttosto: __________

Verticali:

1. Regista italiano, noto in tutto il mondo.

2. Un'attrice italiana molto conosciuta in Italia e in America.

3. "L'Aïda", "il Rigoletto", "la Traviata", "il Trovatore", eccetera sono di __________

4. Famoso pittore del secolo sed cesimo.

6. Le opere "La Bohème" e "Madama Butterfly" sono del famoso musicista italiano __________